JN056646

一億円の犬

THE 100 MILLION YEN DOG

SATO SEINAN
佐藤青南

実業之日本社

目次

装画　青依青
装丁　大岡喜直（next door design）

一億円の犬

プロローグ

いつもお世話になっている加藤シェフのお店でディナー。料理が美味しいのはもちろんだけど、ここのお店はお酒のペアリングが抜群なんです。東カレで紹介されたせいか、最近は予約が取りにくくなったってダーリンが嘆いていました笑　今回も堪能しました！　加藤シェフ、美味しい料理をいつもありがとうございます！

「いいね！」した人はまだいません

4月8日20X1年

麻布十番のお寿司屋さん。このエビ、身が透き通って宝石みたいで綺麗でしょう？　エビが大好きなので、ついエビばかり注文してしまいます。そのせいでダーリンとの初デートで「おれ、そんなにお金持っていなさそうに見えるかな？」って言われたのは、いまとなっては良い思い出。

「いいね！」した人はまだいません

7月23日20X1年

見て見て！　今日はおうちディナー。ダーリンが料理の腕を振るってくれました。「まるでレストランみたい」って言ったら、「そんなことを言ったらいつも通っているお店に失礼だよ」ってダーリン。でも私にとってはどんな高級レストランよりも嬉(うれ)しいディナーだもん。

〇〇〇が「いいね！」しました

8月5日２０Ｘ１年

今日はダーリンと一緒に東京都美術館へ。美術館なんて久しぶり。ハーバード時代にはメトロポリタン美術館によく足を運んだのだけど、最近は忙しさを口実に遠ざかっていました。芸術は心を豊かにしますね。美術館内は撮影禁止だったため、写真はうちから見た東京の夜景です。光の絨毯(じゅうたん)みたいでとっても綺麗。大好きな景色です。

「いいね！」した人はまだいません

11月19日２０Ｘ１年

こんにちは、ではなくて、フォロワーさんにはこんばんは、でしょうか。私はいまダーリンとパリに来ています。写真はぶらりと立ち寄ったカフェ。とっても雰囲気があって素敵でしょう？ピカソやヘミングウェイも愛したお店だそうです。パリは昔から大好きな街。どこを切り取っても一枚の絵画みたい。

〇〇〇〇が「いいね！」しました
2月1日20X2年

ダーリンは毎年、私の誕生日に年齢の数だけ薔薇(ばら)の花をくれます。毎年本数が増えると年齢を実感してしまうから少し恥ずかしいのだけど、気持ちは嬉しいしお花は綺麗だから喜んで受け取ることにしています。今年でついに三十ウン本？笑　いつもありがとう。ダーリン、これからも薔薇の花束、お待ちしています。

〇〇〇〇が「いいね！」しました
3月22日20X2年

突然ですが、我が家に新たな家族が加わることになりました。名前はさくら。五歳の雑種の女の子です。犬を飼いたいねという話は以前からダーリンとしていたのだけど、ペットショップでの購入には抵抗があったので、保護犬をお迎えすることになりました。チャームポイントは、そこだけ茶色い左のお耳。イヤーカフみたい。良いご縁があってよかったです。フォロワーの皆さま、さくらともども、これからもよろしくお願いします。

〇〇〇〇、その他が「いいね！」しました
6月1日20X2年

さくらについてのポストへの反響が大きくて驚いています。フォロワーの皆さまのおっしゃる通り、かけがえのない生命に値段をつけて売買するなんて虐待だし、人間の傲慢です。血統書なんかなくたって、こんなにかわいいのに。

〇〇〇〇、その他が「いいね！」しました
6月2日20X2年

さくらの写真をもっと見せて欲しいというご要望にお応えしたかったのですが、私の腕が悪いせいで良い写真が撮れませんでした。ごめんね、さくら、かわいく撮ってあげられなくて。代わりにさくらのことをマンガにしてみました。題して〈保護犬さくら、港区女子になる〉、よかったら読んでみてください。

〇〇〇〇、その他が「いいね！」しました
8月9日20X2年

前回のマンガが好評だったので調子に乗って第二話です。犬ってなぜか靴下が好きというお話です。さくらのお気に入りはダーリンの靴下。片方ないなと思ったら、さくらが自分のベッドに隠し持っていました笑　ダーリンの匂いを感じていたいのかしら。

〇〇〇〇、その他が「いいね！」しました

9月12日２０Ｘ２年

第三話。散歩中にかけられた言葉の話。今回は少し怒っています。純血種を買うお金が惜しくて雑種をお迎えしたわけでは、けっしてありません。そんな心ない言葉をかけてきたあなたよりも、たぶん私のほうがお金持ちだし。

○○○○、その他が「いいね！」しました

9月28日２０Ｘ２年

前回はたくさんの励ましや慰めのコメント、ありがとうございました。あまりに悲しくてここで吐き出してしまいました。今回は楽しい内容です。第四話、さくらの大好きなお義母（かあ）さまとの関係についてです。これから沖縄旅行なので次回更新まで少し間が空くかもしれませんが、できるだけ早くポストできるよう頑張ります。

○○○○、その他が「いいね！」しました

10月2日２０Ｘ２年

・　・　・

・・・

モデル時代のお友達とランチ。楽しすぎてあっという間に三時間が過ぎていました。まだまだ話し足りない！　なんでも話せて信頼できる関係って素敵だね。写真は、お友達からもらったさくらへのプレゼント。犬用おやつの詰め合わせ。こんなにたくさんだと、どれから食べたらいいのか迷っちゃうね、さくら。

○○○○、その他が「いいね！」しました

9月29日２０X３年

トホホ。リンゴの皮を剝いていたらざっくり切ってしまいました。きみはいつもそつがないのに、変なところで天然だねってダーリンが。さくらは「大丈夫？」って心配してくれているのかと思ったら、剝きかけで床に落ちていたリンゴをパクリ。この食いしん坊めー！　でも大好物だから仕方ないか。

○○○○、その他が「いいね！」しました

9月30日２０X３年

〈保護犬さくら、港区女子になる〉、第三十六話。ダーリンの足音が聞こえると玄関のところまで行ってお座りして待ってます。本当に犬って耳が良いし、健気(けなげ)ですね。

〇〇〇、その他が「いいね！」しました

10月2日20X3年

第一章　セレブと犬

1

小筆梨沙は両手で持った紙片を、まじまじと見つめた。

左上に『コミット出版株式会社』のロゴ、中央には『編集部　寺本直樹』と印字されている。下のほうには会社の住所と電話番号、メールアドレスも記されていた。

「まだよくならないんですね」

紙片から顔を上げると、ツーブロックに刈り上げた髪の毛を七三に固めた、不自然なほど白い歯の笑顔があった。年齢は二十代後半ぐらいか、せいぜい三十歳。となると、三十二歳の梨沙より年下ということになる。

「え？」

「ナイフで切っちゃったって、ＳＮＳのミースタで見ました」

梨沙の左手のことを言っているようだ。

「ああ。これ」

「かなり深くやっちゃったんですね。血が滲んでる」

寺本の言う通り、包帯を巻いた手の、親指の付け根あたりが赤く滲んでいた。

ええ、まあと軽く受け流し、梨沙は質問した。

「寺本さんは、渋谷からいらしたんですか」

名刺に記されたコミット出版の住所は、渋谷区渋谷三丁目だった。

「いいえ。この前に別の作家さんとの打ち合わせが入っていたので、上野（うえの）から」

「作家」という単語に反応して、とくんと胸が跳ねる。いま、寺本は「別の」作家さんと言った。つまり、梨沙のこともすでに作家と認識している。

「編集者さんって、やっぱりお忙しいんですね」

「いや。たいしたあれでは」

手をひらひらとさせて謙遜し、寺本が言う。

「リサさん……と、呼ぶのも馴（な）れ馴（な）れしい気がするので、ご本名をうかがっても？」

「小筆です」

「小筆……リサさん、でよろしいんですか」

「そうです」

「ハンドルネームのリサというのは、ご本名なんですか」

「ええ」

そうでしたかと、寺本は仰々しく頷（うなず）いた。

「小筆……って、珍しい苗字（みょうじ）ですね」

「よく言われます。栃木のほうに多い苗字だとか」

「では小筆さんも？」

「いいえ。私は名古屋出身です」

ははあ、という相槌には心がこもっていないが、続けて発せられた言葉は、本当に無念そうだった。

「それにしても今日は残念です。てっきり、さくらちゃんに会えると期待していたのですが」

寺本が梨沙の横のあたりの床を見る。本来そこにいるべきはずの存在がいない、という感じで。

「ごめんなさい。さくらは保護犬だったので」

「いえいえ」と、寺本がかぶりを振る。

「人間やワンコが苦手なワンコもいますよね。元保護犬だったら、なおのこと繊細な部分もあるだろうし、どこにでも連れて行けるわけでは……」

話が途切れたのは、隣の席にいたゴールデンレトリバーが、尻尾を振りながら寺本に近づいたからだった。寺本の左腰のあたりから顔を覗かせ、くんくんと興味深そうに匂いを嗅いでいる。

「こら、ゴン太。ダメでしょう。ごめんなさい」

愛犬の行動に気づいた隣席の上品そうな白髪の女性が、リードを引いて謝った。

寺本が相好を崩し、ゴールデンレトリバーの頭を両手で撫で回す。犬の尻尾が左右に大きく揺れた。

「気になさらないでください。挨拶に来てくれてありがとう。もしかして、お友達の匂いがしたのかな」

「あら。あなたも犬を飼っていらっしゃるの？」

白髪の女性が急に親しげになる。

「はい。こんな大きな子じゃないですけど」

「そうなの。じゃあパパとママがお出かけしている間、お留守番しているのね」

一瞬、きょとんとした後で、寺本が慌てて否定する。

「違います。そういう関係では……」

「違うの？　お似合いなのに」

白髪の女性は寺本と梨沙を交互に見た。

「私なんかとお似合いだなんて、失礼ですよ」

「そうかしら」

「この方は作家さんなんです」

手の平を向けて紹介され、胸の中が優越感で満たされた。

「そうだったの」と、白髪の女性が目を丸くする。「こんなにかわいらしいお嬢さんが？」

「そうなんです。とてもおもしろい作品を書かれる方です」

あらー。白髪の女性が遠慮のない視線を梨沙の全身に巡らせる。

「すごいわね。アイドルみたいなお顔なのに」

「アイドルなんて、そんな年じゃありませんし」

梨沙は笑いながら手を振る。

「あなたのほうは、あの役者さんに似てるし」

白髪の女性が寺本を見ながら、最近人気のイケメン俳優の名前を挙げた。

「マジですか。似てるなんて言われたことないけど」

だって似てないし、と、梨沙は心の中で独りごちる。

「美男美女のカップルで素敵だなって思っていたの」

にこにこと笑いながら、女性がふたたび梨沙を見た。

「でもうちの近所に住んでる方の娘さん、アイドルやってるらしいけど、あなたのほうがぜんぜんかわいいわよ。その子、秋葉原のお店でフリフリの衣装着て、頑張ってるみたいだけど」

「それはアイドルじゃなくて、コンカフェかもしれません」

寺本の指摘に、白髪の女性が首をひねる。

「違うの？」

「ちょっと違います。アイドルはステージに立って歌ったり踊ったりするけど、コンカフェは店員さんの格好がかわいいだけで、やってることはただの飲食店ですから」

「知らなかった。どうりで、その子はまるまる太っていてお顔もそんなにかわいくはないのに、よくアイドルなんてつとまるねって主人と話していたの」

梨沙の頬がぴくりと痙攣した。アイドルよりかわいいなんて言われてまんざらでもなかったのに、水を差すようなことを言わないで欲しい。

もっとも、寺本を人気イケメン俳優に似ていると感じた時点で、彼女の審美眼はまったく信頼に値しないが。

白髪の女性が席を立つ。

最後にゴールデンレトリバーの頭をわしゃわしゃとして、寺本がこちらに向き直った。ジャケットに茶色い毛が付着しているが、気にするそぶりもない。

「あれぐらいの年だと、アイドルとコンカフェの違いもわからないですよね」

梨沙は愛想笑いで応じ、訊(き)いた。

「寺本さんも、犬を飼っていらっしゃるんですか」

「ええ。三歳のパグです。大福(だいふく)っていいます」

「大福、ですか」

変な名前でしょう？　という感じの、いたずらっぽい笑みが返ってきた。

「パグって皮膚がのびるから、すごくもちもちしていて気持ちがいいんです。その手触りがまるでおもちみたいだねって、一緒に住んでいる彼女が」

「なるほど」

梨沙が笑ったそのとき、エプロン姿の店員が注文の品を運んできた。寺本はアイスコーヒーで、梨沙はカフェラテだった。カフェラテの液面には、葉っぱが広がったようなラテアートが描かれている。

六本木(ろっぽんぎ)駅から徒歩五分のカフェは、ログハウスを意識したような内装になっていた。かなりの人気店らしく、テーブルだけでなくカウンターまで満席で、店の外にも行列ができている。梨沙が行列に並ぶことなく入店できたのは、寺本が予約してくれていたおかげだった。さくらを連れてこられるように店内ペット同伴可の店を探してくれたらしく、テーブルの半分以上は犬を連れた客だ。

「でもさくらちゃん、繊細といっても、犬全般がダメなわけでもないですよね。マンガには仲良しのお友達ワンコも登場しますし」

「お友達はいますけど、基本的には、やっぱり苦手です」

「そうかあ」と、寺本が肩を落とした。

「うちの大福ともお友達になってくれればと思ったのですが、難しいですかね」

「どうでしょう」

曖昧な笑みではぐらかすと、「あ。すみません」と寺本が後頭部に手をあてた。

「まだお仕事をご一緒していただけるかも決まっていないのに、あつかましかったですね」

「いえ」

「相手が犬を飼っていると距離感がバグってしまうんです。小筆さんのマンガにもそういった愛犬家の習性は描かれていたので、よぉくご存じだと思いますが」

梨沙は軽く頷き、カフェラテのカップに口をつける。一杯千円の味。ここの会計は、どちら持ちになるのだろう。

寺本が背筋をのばし、あらたまった口調になった。

「用件はDMでもお伝えした通りです。小筆さんがミースタで連載されている〈保護犬さくら、港区女子になる〉。私も一人の読者として、愛犬家として、大変楽しませていただいています。この作品をぜひ書籍化し、もっと多くの読者に届けたいと思い立ち、今回ご連絡させていただいた次第です」

寺本は鞄から三冊の本を取り出し、テーブルに並べた。『医者が断言する　長生きしたければ薬を飲むな』、『タイパ整理整頓術』、『無能社員の活用術』。

「こちらが弊社の刊行物です」

「あっ」と漏らした声に、寺本が反応する。

「読まれたことがありますか」

「この人、テレビで見たことある……と思って」

梨沙は『無能社員の活用術』の帯に目を向けた。新書サイズの本の半分ほどを占める帯には、四十歳ぐらいの短髪の男が腕を組んだ写真が使われている。「人〈財〉活用を制すものがビジネスを制す！」という迫力のある手書きフォントは、男が発した台詞なのだろう。吹き出しで囲まれていた。

「モリゴーさんですね。森山豪太郎。カリスマ起業家としてよくテレビに出演していらっしゃいますし、動画配信者としても人気です」

そういえば、と、梨沙は番組名を挙げた。各業界で活躍する人間に密着取材し、その素顔に迫るというコンセプトの人気番組だ。あの番組にも出てましたねと、寺本はこともなげに答えた。

「うちで書いていただいていて、私が担当しています。とても頭の回転が速くておもしろい方ですよ。今度ご紹介しましょうか」

予想外の提案に、とっさに言葉が出てこない。

「小筆さんは動画配信なさらないんですか。さくらちゃんの日常を動画にして配信すれば、けっこう再生数稼げると思いますけど」

「考えたこともありませんでした」

「さくらちゃんなら人気出ると思います。人気のやつだと、何百万再生もされてるチャンネルもありますよね。書籍化されてベストセラーになったものだって少なくないし、あの有名な猫のチャンネルなんか、飼い主の顔出しなしでいくら稼いでるんだろう。一億はいってるかな」

「一億……」

寺本がはっとした顔で我に返る。

「すみません。変な話をして。小筆さんはお金が欲しくてさくらちゃんと一緒にいるわけじゃありませんよね」

寺本はテーブルの上の本に視線を戻した。

「ご覧の通り、弊社は実用書やビジネス書をメインに発行しています。〈保護犬さくら、港区女子になる〉のようなエッセイマンガでの実績はありません」

一億、一億、一億、一億。

頭の中で言葉が反響して、まともに話が入ってこない。

「リサさんこと、小筆さんの作品を刊行するのは、弊社としても大きな挑戦になります。いまや市場として大きく成長した、SNS発のコミックエッセイの分野を、小筆さんの作品を皮切りに開拓していきたいと考えています。〈保護犬さくら、港区女子になる〉の書籍化、ぜひともご検討のほど――」

一億。

「お願いします」

気持ちがつんのめって、寺本が言い終える前に声をかぶせていた。

2

一時間ほど話して店を出た。心配していた会計は、寺本が持ってくれた。自分のぶんは自分で払うと主張したのだが、「作家さんに出させるわけにはいきません」と強引に伝票を奪われた。最高に気分がよかった。

「ごちそうさまでした」

会計を終えて店を出てきた寺本に礼を言う。

「いえ。経費で落ちますし、これからさくらちゃんに稼がせていただく立場ですから、気にしないでください」

「さくらに、ですか」

「もちろん、リサさんにも、です」

こういう軽口を叩(たた)けるぐらいには打ち解けた。

行きましょうかと歩き出しながら、寺本が店を振り仰ぐ。

「良い店でしたね」

「ええ。カフェラテも美味しかったです」

「よかった。ネットで調べて予約したので、美味しいかどうかまではわからなかったんです。ランチメニューも美味しそうだったので、次回は食事でもしながら打ち合わせしましょう」

あ、でも。寺本が動きを止める。

「小筆さんの行きつけのお店があったら、そちらでもかまいませんが」

どうですか、と、うかがうような視線。

「いいえ。さっきのお店、ランチ美味しそうだったし」

「わかりました」

ふたたび歩き出した。

「小筆さんとお会いするにあたってネットで検索して思ったのですが、このあたりはペット同伴可のお洒落なお店がたくさんありますね。うらやましいです。近所だったら大福を連れてこられるのに」

ここはペット同伴可かな、と、通り沿いの店を覗き込んでいる。

「寺本さんは、どちらのほうにお住まいなんですか」

「埼玉です」

硬直してしまい、不思議そうに首をかしげられた。

「どうかなさいましたか」

「いいえ。なんでも」

　梨沙は顔を横に振った。

「いいなあ。このへんに住めたら最高だなあ。でも、埼玉のほうが緑は多いから、ワンコには幸せだったりするのかな」

「そうですね。このへんはゴミゴミして車も人も多いから、犬にとっては、やさしい環境といえないかも」

「ごめんなさい。そういう意味で言ったのでは」寺本が口もとを手で覆う。

「さくらちゃんは本当に幸せなワンコだと思います。小筆さんみたいなやさしい飼い主さんに巡り会えて。これはお世辞とか、うちから本を出していただけるから言っているのではなく、本心です。あのマンガの読者なら、みんなきっとそう思っています」

「ありがとうございます」

「ダーリンさんも素敵な方ですよね。とぼけた感じなのに賢くて、いざというときに頼りになって……実際にも、あのマンガの通りの方ですか」

「どうでしょう」

　意味深な笑みで答えを濁す。

「お仕事は霞が関勤めの高級官僚でしたよね」

「ええ」

「すごいな。東大を出て高級官僚になって、六本木のタワーマンションで小筆さんみたいな素敵な女性と、さくらちゃんというかわいい犬と暮らすなんて、完璧な人生すぎて憧れとか嫉妬すら湧いてきません」

「そんなことないです」

「もしよければ、今度ダーリンさんも一緒に食事、どうですか。ペット同伴可のお店、私のほうで探してもかまいませんし、小筆さんの行きつけでも」

「どうかなあ。すごく忙しい人だから」

「ですよね。国を動かす立場の人ですものね。ではタイミングが合えば、ということで」

寺本が立ち止まり、ヒルズの高層ビルのほうを指さす。

「ご自宅はあちらのほうですよね」

「ええ」

「僕はバスに乗りますので。ここからだと、渋谷まではバスがスムーズなんです」

すぐそばにバス停があった。

「先ほどお話しした通り、私としては来年夏ごろの刊行を想定しています。まだ半年以上ありますが、もっとエピソードが欲しいいし、改稿やらゲラ作業やらプロモーションについてのご相談もしたいし、それほど悠長にかまえてはいられません。意外とあっという間だと思います」

「はい」

梨沙は頷きながら、ひそかに生唾を呑み込んだ。

「今後のスケジュールなんですが、私が週に一度、六本木にうかがって打ち合わせという感じでいかがでしょう」

「ご足労いただいても、いいんですか」

「もちろんです。お店は今回と同じでもよろしいですか。それとも、小筆さんのおすすめがあるなら――」

「同じでかまいません。とても良いお店で、気に入っちゃいました」

寺本が嬉しそうに頬を緩める。

「打ち合わせ以外でも、ぜひダーリンさんやさくらちゃんと一緒に使ってください」

「そうさせてもらいます」

では私はここでと、寺本に背を向けたとき「小筆さん！」と呼び止められた。

寺本がこぶしを持ち上げてガッツポーズを作っている。

「百万部、目指しましょう！」

笑顔で頷いておいた。

一〇メートルほど歩いたところで振り向くと、寺本はまだ頭を下げたままだった。

前方から渋谷駅前行きのバスがやってきて、すれ違う。そのまましばらく歩いて、もう一度振り返った。

停留所からバスが発車したところだった。寺本の姿はない。

梨沙は踵（きびす）を返し、歩き出した。バスの停留所を通過し、地下鉄の出入り口に向かう。

地下道を進んで改札を通過し、ひたすら階段を下った。

都営大江戸線のホームに出ると、ちょうど光が丘方面行きの電車が入線してきた。

扉が開き、車両に乗り込む。昼下がりの時間帯で混んではいないものの、空席は見つからない。扉横のポールをつかんで立った。

すると、すぐそばの座席で眠りこけていた大学生ふうの男が、弾かれたように目を覚ました。口もとを拭いながら、慌ただしく飛び出していく。

今日はついてる。

いや、もしかしたらこれからずっとこうなのかもしれない。

私の人生に、ツキが回ってきた。

――百万部、目指しましょう！

空いた座席に腰をおろしながら、梨沙はこみ上げる笑いをかみ殺した。

3

空が広い。

一時間ちょっと前までいた六本木の超高層ビルとは大違いの、低い屋根の建物たち。見通しが良すぎて逆に気持ちが塞ぐ。

梨沙は振り返り、駅舎の駅名表示を見上げた。

霞ケ関駅北口。

中央省庁が集まった千代田(ちよだ)区霞が関にある、有名な東京メトロ霞ケ関駅ではない。埼玉県川越(かわごえ)市にある東武東上線(とうぶとうじょう)の霞ヶ関駅だ。まったく同じに見えて、実は「ケ」の大きさが違う。大文字の「ケ」が東京の霞ケ関駅、小文字の「ケ」が埼玉の霞ヶ関駅らしい。

とは言うものの、実際に駅舎の表示を見てみても「ケ」の大きさは微妙だ。大きいほうの「ケ」にも見える。

駅名までまがい物——という言葉が浮かび、ふん、と鼻息を吐いた。自転車置き場から自転車を引き出し、サドルにまたがる。

ひたすら県道を北上し、信用金庫を過ぎたあたりで細い道に入ると、サドルから腰を浮かせてペダルを立ち漕(こ)ぎした。梨沙の暮らすアパートは坂の中腹に建っている。電動アシスト付自転車なんて贅沢(ぜいたく)品には手が出ないので、アパートに着くころにはいつも背中がじんわり汗ばんでいる。

今日もそうだった。十月に入り、だいぶ日が短くなってきたとはいえ、日中はまだ日差しが鋭い。日光を遮るほど高い建物もない埼玉の地方都市では、西日に背中を炙(あぶ)られながら坂道をのぼる羽目になる。

センスの悪い薄緑色に塗られた建物が見えてきて、梨沙は太股(ふともも)に力をこめた。駐車場を横切り、建物脇の駐輪場に自転車を入れる。家賃には駐車場代も含まれていて、アパートの前は十台ほどが止められる駐車場になっているが、梨沙は車を持っていない。所有するだけで税金を取られるし、ガソリン代だってバカにならない。

集合ポストを確認する。ポスティングされたチラシに交じって、電気料金の請求書が届いていた。浮き立つ気持ちに冷や水を浴びせられた心境で外階段をのぼり、手前から二番目の二〇二号室の扉に鍵を差し込んだ。

扉を開くと狭い玄関があり、左にキッチン、右にバスルーム。間仕切りの障子は開け放たれており、居室の奥にはベッドとテレビのほか、ラグマットの上にミニテーブルが置いてある。専有面積およそ二十平米、家賃四万五千円のこの部屋が、梨沙の生活空間だった。

麦茶を飲もうと冷蔵庫を開けたが、ポットには一センチほどしか麦茶が残っていなかった。水切りかごからグラスを手に取り、水道水をがぶ飲みする。

ベッドに横になろうとして、思いとどまった。この日のためにクローゼットから引っ張り出した、クレジット十回払いで購入したセリーヌの一張羅に皺は付けられない。

ジャケットをハンガーにかけていると、鼓膜の奥に声が蘇った。

——すごいわね。アイドルみたいなお顔なのに。

六本木のカフェで話しかけてきた白髪の女性の台詞だった。アイドル。若いころに目指していたら、なれただろうか。きっとなれた。世間で美人とされる女優だって、よく見ると荒れた肌をコンシーラーで隠しているし、写真を修正しているのだから。

ルームウェアに着替え、左手の包帯を外した。親指の付け根に血糊がべったりと付着しているので、バスルームで手を洗う。

あらためてベッドに身を投げ出した。

軽く上体を起こし、ラグマットに置いたバッグから本を取り出してみる。気前のいいことに、寺本は持参した本をそのまま梨沙にくれたのだ。

『医者が断言する　長生きしたければ薬を飲むな』

『タイパ整理整頓術』

『無能社員の活用術』

三冊をパラパラとめくってみる。ふだん本は読まないし、内容には興味がない。そもそも「長生きしたければ薬を飲むな」なんてことを、医者が断言してもいいのだろうか。この本の内容が正しければ、この医者の仕事がなくなるのではないか。

どうでもいい。ほかの本を布団に放り投げ、『無能社員の活用術』を手に取った。帯で腕組みをするカリスマ経営者と見つめ合う。やっぱり、成功者はオーラが違う。なんとなく、風格が漂っている。そんな気がする。

私も、成功者の仲間入り。

期待で胸が膨らんだ。

本が売れれば、こんな惨めなワンルームアパート暮らしともおさらばだ。広い家に住み、高い服を身につけ、庶民には存在すら知られていない隠れ家的な名店に出入りして高級なワインをたしなむ。マンガ家兼インフルエンサーの顔を持つセレブな女は六本木や麻布界隈で一目置かれていて、誰もが友達になりたがる。一億円稼げたら、きっとそうなる。ＳＮＳで発信する華やかな私生活は、いまはまだ虚飾でも、そのうち現実が追いつく。

スマートフォンを充電器につなぎ、ミースタを開いた。

昨日投稿したマンガにコメントがついている。

——さくらちゃん、いつもかわいい！　癒やされる！

——さくらちゃん、リサさんみたいな人の子になれて本当によかったね。

——ダーリンくんもエリートなのに天然で良い味出てますね。

——リサさんとダーリンは理想のカップルです。

——シロちゃんママのリンクから飛んできました。マンガもおもしろく、ほかの投稿も素敵でファンになりました。これからも更新頑張ってください。

すべてのコメントにお礼の返信をしていく。中には「嘘松乙！」という悪意に満ちたコメントが交じっていて嫌な気分になるが、人気者への嫉妬だ。見なかったことにする。

コメント返しの後は、相互フォロワーの投稿に目を通す。相互フォロワーの多くは、犬を飼っていたり、梨沙と同じように愛犬をモデルにしたエッセイマンガを投稿している。それらに「いいね」を押し、ときどきはコメントも残す。正直なところ、相互フォロワーの投稿をおもしろいと感じたことはない。興味すらない。どこに出かけた。なにを食べた。誰と遊んだ。何者でもない貧乏人の日常に、誰が興味を持つというのだ。

しかしいまは、相互フォロワーたちの投稿を眺めながら、優越感に浸ることができた。だってこの人たちには、投稿を書籍化したいなんて申し出は届いていない。届くわけがない。

ひとしきり相互フォロワーの巡回を終えると、タブレット端末を手に取った。お絵かきソフトを起動し、タッチペンをかまえる。

寺本からは書籍化に際し、エピソードを追加して欲しいと言われた。現状でも本にできないことはないが、せっかくなら余白だらけではなく、読み応えのある本を目指したいという。梨沙としても異存はない。内容の濃い作品を送り出して、世間を驚かせてやろう。

しかし梨沙のタッチペンは、いっこうに動き出さない。いざ描こうとすると、しかもそれが本になるという前提があると、肩に力が入ってアイデアが湧いてこない。なにしろ百万部を目指すということは、百万人が読むかもしれない作品だ。

スマートフォンを手にし、ふたたびミースタを開いた。〈犬好きとつながりたい〉というハッシュタグで検索し、愛犬について発信しているアカウントを巡回する。

参考になりそうな発信を見つけた。ご飯をあげても食べない犬の皿を下げようとすると、グルルと唸って威嚇される、という内容だった。しかし投稿者の夫が同じことをしても威嚇されることはないため、投稿者は犬からは下に見られているのかもしれないと、自虐的に綴っている。

このエピソードを使おう。タブレットにタッチペンを走らせ、コマ割りしていく。

梨沙がミースタで投稿を開始したのは、二年ほど前のことだった。アカウント自体はもっと前に取得していたのだが、ほとんど休眠状態だった。

きっかけは、会社員を辞めたことだ。短大卒で入った繊維関係の商社を二年で辞め、二度転職したものの、転職するたびに労働条件は悪くなった。最後に在籍した食品メーカーは人間関係が最悪で、お局さまのような女性社員に嫌われた末に、専務の愛人だという根も葉もない噂を流された。これ以上我慢していては自分が壊れてしまうギリギリの状態だった。会社を辞めると同時に、東京の中野から、埼玉県川越市のアパートに引っ越した。

最初はスーパーでアルバイトをしていたが、いまは派遣会社に登録して携帯電話ショップで働いている。ブラック企業の劣悪な労働環境と面倒な人間関係からは解放されたものの、収入は半減し、満たされたとは到底いえない。友人もおらず、趣味もないため、空疎な時間だけが生まれた。そのときに思い出したのが、放置状態だったミースタというＳＮＳで作ったアカウントの存在だった。

派遣の携帯電話ショップ店員のありのままの日常など、誰も興味を持つはずがないし、梨沙自身にも興味はない。梨沙はミースタ上に『リサ』として理想の人生を築き上げることにした。ときどきつく『いいね』や賞賛のコメントに背中を押されるかたちで、偽りの人生を飾り立てていった。

リサは六本木のタワーマンションで、夫と一緒に暮らしている。夫は東大出の高級官僚にして、大学時代はファッション誌のモデルをしていたほどのルックスの持ち主。性格は温厚で、出会ってから一度も喧嘩をしたことがない。とてもマメな男性なので、毎年、誕生日には年齢の数だけ薔薇を贈ってくれ、ホテルの高級ディナーに連れて行ってくれる。

リサ自身は大学を卒業後、青年海外協力隊としてアフリカのザンビアに派遣されていた。そこで井戸を掘ったり、水環境を整備する仕事に従事した後で帰国し、芸能活動を開始。雑誌のモデルや女優として映画に出たり、歌手デビューしないかとスカウトされたこともある。しかし現在の恋人と運命の出会いを果たしたことで、キャリアを捨てて家庭に入ることを決意する。決まっていた仕事をすべてキャンセルし、その後夫となる恋人と暮らし始めた。

高級店のディナーや旅行先の絶景などは、他人の投稿から写真を拝借し、加工やトリミングを行っている。思いつきで要素を追加し続けた結果、ハーバード大卒が加わったり、プロフィールが大渋滞してSNS上の自分がとてつもないスーパーウーマン化してしまった。本名を晒しているわけでもないし、盛りまくって別人と化した投稿を眺めていると、本当の自分の人生はここにあるのではないか、いま自分を取り巻く現実こそが虚構なのではないか、とすら思えてくる。

保護犬のさくらを飼っていることにしたのも、たんなる思いつきだった。最初はトイプードルあたりにしようと考えたが、ミースタ上のリサは、青年海外協力隊に参加するような意識の高い女性だ。ペットショップで犬を買うことはしないだろう。というわけで、保護犬を迎え入れたことにした。

ときおりさくらとしてSNSに登場する、全身が白く、左耳だけが茶色い、中型の雑種犬の写真は、海外のアカウントから写真を盗用したものだった。本当の飼い主はトニーという名前のオーストラリア人で、犬の名前もさくらではなくメアリーという。トニーのフォロワーは数十人しかいないし、当初はリサのフォロワー数も同じくらいだったため、バレるどころか、気にかける者すらいなかった。

転機はなんといっても〈保護犬さくら、港区女子になる〉だ。

さくらの写真にたいして犬好きと思われるユーザーからのコメントがつくことはあったが、なにしろ実在しない犬なので、写真を投稿したくても叶わない。写真の盗用元であるトニーはSN

Sにたいしてとくに熱意もないようで、数週間に一度、思い出したように写真がアップされる程度だった。そこでさくらを題材にしたエッセイマンガを投稿してみようと思い立った。マンガならば写真は必要ないし、イラストを描くのは、子どものころから得意だった。ミースタにはほかにもエッセイマンガを投稿しているアカウントが多数存在したが、どれも飛び抜けて画力が高いわけではない。自分にも描けるのではないかと思った。

とはいえ、さくらは実在しないし、梨沙には犬を飼った経験すらない。エッセイにするような日常は存在しないのだ。そこで犬好きのユーザーが投稿したエピソードを参考に、まるで自分の身に起こったことのように描いた。

反響は予想以上だった。どれだけ豪華な食事や絶景の写真を投稿しても暗闇にボールを投げているようだったのが、犬が主役の、とりわけ絵が上手いわけでもないマンガに多くの「いいね」やコメントがつくようになった。フォロワーはうなぎのぼりに増え、一年前には二桁だったフォロワーが、いまでは五千に手が届こうかという勢いだ。三十二年の人生で、これほどまで多くの人に関心を持たれた経験はない。梨沙はどんどんミースタにのめり込み、投稿の頻度も上がっていった。

二時間ほどで新作マンガを描き上げた。

〈保護犬さくら、港区女子になる〉第三十八話――ミースタに投稿する。

まだ三十八話。

寺本からは書籍化に際し、五十話欲しいと言われている。さらにはネットでは読むことのできない、書籍限定の描き下ろしも考えているらしい。これまでは週一話の更新頻度だったが、もう少しペースを上げたほうがよさそうだ。

梨沙はミースタをログアウトした。『ログイン』をタップし、メールアドレスとパスワードを入力する。

ログインしたのは、先ほどとは別のアカウントだった。リサのタイムラインに飛び、最新の投稿を表示させる。吹き出しボタンをタップして、コメント入力欄を開いた。

——今回も最高におもしろかったです。リサさんとダーリンとさくらちゃん、地球上で最高の家族だと思います。私の憧れです。

コメントを投稿し、すぐにログアウトする。ふたたび『ログイン』をタップし、先ほどとは異なるメールアドレスを入力した。

——ダーリンよりさくらちゃんが上なんですね笑　リサさんのマンガ、大好きでいつも繰り返し読んでいます。本にする予定はないんですか？

梨沙はその後、同じ作業を三回繰り返した。

4

「小筆さん」

店長の徳永義巳（とくながよしみ）から肩を叩かれたのは、機種変更を希望する客に各社ニューモデルの仕様を説明しているときだった。

髪の毛をオールバックに撫でつけた徳永が、張り付いたような笑みを浮かべて背後に立っている。

「中岡(なかおか)さん、いらしたから。接客替わります」

ぽんぽんと背中を叩いて促された。叩く力がこころなしか強いのは、この前の飲み会を欠席したせいだろうか。誘いを断ると、徳永は「小筆さんとは一度、じっくり話してみたいと思っていたのに」と言って残念がっていた。同僚から「店長と付き合っているんですか」と質問されたこともある。徳永が梨沙をことさら気にかけているふうなので誤解したようだが、不本意きわまりない。周囲から見て交際していると思われるのも、うだつの上がらない独身の中年男に、こいつならイケると思われているのも。

「失礼します」

梨沙は客に向けて営業スマイルを作り、椅子を引いた。

中岡隆英(たかひで)が、興味もないくせに新機種のディスプレイに見入っている。禿(は)げ頭と白い眉、こけた頬。一見すると好々爺(こうこうや)然とした雰囲気だが、この『もしもしショップ川越店』では取扱注意の難物とされている。

梨沙の視線に気づいた中岡が、ふいにこちらに顔を向けた。満面の笑みで、胸の前で小さく手を振る。

キャバ嬢扱いかよ。心で毒づくものの、梨沙はほかの店員ほど、中岡を苦手にしていない。

「ぜひ孫の嫁に」と言われるほど気に入られているおかげだ。

「こんにちは。今日はどうされたんですか」

カウンターを出て中岡に歩み寄ると、中岡は自分のスマートフォンを差し出してきた。梨沙の勧めで昨年機種変更した、シニア向けの機種だ。

「文字が小さくなってしまったんだ、なにもしていないのに」

なにもしていないわけがない。自分でいじったことに気づいていないだけだ。

「見せていただいても？」

受け取ったスマートフォンの液晶画面に表示された文字は、たしかに小さい。だが故障ではない。設定画面でフォントサイズを大きくし直し、スマートフォンを返した。

「直りました」

「ありがとう」

おお、字が大きくなっている、と中岡が笑顔になる。

「設定画面から文字サイズを選んで、特大、大、中、小のうちから大を選ぶんです」

「ああ。わかった」

ぜったいに説明を聞いていないと確信する反応の速さだった。きっとまた同じことをやる。

「その手、大丈夫かい」

梨沙の左手を見て、中岡が心配そうに目を細めた。

「平気です」

「どうしたの」

「ナイフで切っちゃったんです」

ったく、しょうがねえなあと笑われた。

「ちょっと前にも、転んだとかで頭に包帯巻いてたよな。若いのに鈍臭いんじゃないか」

「かもしれないです」と、左手の包帯を撫でる。

「いまからそんなんじゃ、先が思いやられるな」

中岡が笑いながら自分の左手を右手で触った。頭は禿げていて顔もシワシワなのに、手だけは綺麗なのが無性に腹立たしい。庭いじりが趣味だというのに、どうしてそんなに手が綺麗なのか。あんたがそんな綺麗な手をしていたところで、なんの役にも立たないだろう。

「中岡さんはお元気そうですね」

そうでもないぜと、中岡が肩をすくめた。

「いろんなところにガタが来ちまってる。庭いじりしてても、腰がしんどいし。このスマホだってそうだ。こんなに字を大きくしないと、なにが書いてあるか読めない。あと、耳も遠くなった。この前、吉田(よしだ)さんと会ったら、どうして無視したんだって怒られちゃってさ。どうやらスーパーの駐車場でおれを見かけて声をかけたらしい。それなのにおれが気づかずに立ち去ってしまったものだから、無視されたと思ったんだな。そんなこと言われたってさ、こっちは年寄りなんだから聞こえないんだって言い返してやったよ」

中岡が自分の耳を指さす。

「吉田さんって、近所の犬友さんでしたっけ」

「そう。うちの梅子とあそこのジョンが仲良しでな」

　当然のように知人の名前を出してくるので最初は戸惑ったが、いまではほとんどの登場人物を覚えてしまった。老人の交友範囲は狭い。ちなみに梅子というのは、中岡が飼っていた秋田犬の名前だ。一年半前に死んでしまい、半年後には妻も亡くなり、独りきりになってしまったと、よくこぼしている。中岡が頻繁にこの店を訪れるようになったのは、そのころからだった。購入する意志はないのにあれやこれやと質問してきて、そのうち自分の話ばかりするようになって一時間近く解放してくれない。

　そんな中岡に機種変更を申し込ませたのは、同僚たちにとって快挙と映ったらしい。中岡が訪ねてくると、決まって接客を任されるようになった。

「ジョンは雑種でしたよね」

「ああ。もともとは野良だった保護犬らしくて、最初のうちはしつけに相当手を焼いたみたいだ。リードを二本つけられて、それでも大暴れするジョンに振り回されるようにしながら散歩する姿を、よく見かけた。それがしばらくすると、すっかりおとなしくて良い子になってな。愛情ってのは、通じるもんだよ。そのジョンが手をつけられない暴れん坊だったころから、なぜかうちの梅子にだけは吠えかからなかったんだぜ」

「梅子ちゃんは、どんなワンちゃんとも仲良くなれたんですね」

「そうなんだ。穏やかな性格で、手のかからない子だった。ジョンもそうだし、ほかにも犬が苦手だっていう犬が、梅子だけは大丈夫って言われることが多くてな。まあ、凶暴な犬ってのはたいていオスだから、梅子は人間だったらさぞや良い女だったんだろう」

中岡はこんなふうに、しばしば亡き愛犬の思い出を語る。同僚たちには退屈な話も、犬を飼ったことのない梨沙にとっては貴重な取材の機会だった。実際に中岡から聞いた梅子の話を、さくらのエピソードとしてマンガに描いたこともある。

「ところで小筆さん、良い男は見つかったのかい」

油断するとセクハラされるのには閉口するが。

「いいえ」

「あんた、若く見えるけど、もういい歳だろう。いくつだっけ」

「その話はいいじゃないですか」

「よかない。そんなふうにのんびりかまえてると、いつの間にか年食ってるぞ。しなしなの婆さんになって相手を見つけようとしても、誰も相手にしてくれないんだ……まあ、おれならいつでも歓迎だがな。どうだい。おれと結婚したら、おれが死んだ後で土地建物が手に入る」

このぶんだと、そう簡単に逝ってくれなさそうだが。

「この前は、お孫さんを紹介してくださるという話でしたが」

「あれはまだ大学生だから。あんたとは年齢が釣り合わない」

「私と中岡さんのほうが、年が離れていますけど」

「そうだっけ」

笑って誤魔化そうとする。息子の嫁にとか孫の嫁にという男は、ようするに下心を隠したいだけなのだ。

「うちの孫が東大卒業したら、紹介してやる」

「楽しみにしています」

「それまで待てなくなったら、おれがもらってやる」

「けっこうです」

がはは、と居合わせたほかの客がびくっとするほどの、豪快な笑い声が店内に響き渡った。

「考えが変わったらいつでも待ってるぜ」

「変わらないと思いますけど、ありがとうございます」

「念のために確認しておくけど、合鍵は」

「家の前の植木鉢の下」

「そう」

これまでに何度となく繰り返された、お決まりのやりとりだった。

その日も中岡は一時間近く話し、帰っていった。もう一人いる女性の同僚は、すでに昼食から戻っており、梨沙はすぐに休憩に入った。

そのときになって、寺本からの着信履歴に気づいた。三十分ほど前に不在着信があったようだ。仕事中はサイレントモードにしているため気づかなかった。

すぐにかけ直すと、ほとんど呼び出し音が鳴らないうちに応答があった。

『はい。もしもし』

「寺本さんですか。お電話いただいたみたいですが」

『そうです。すみません。いきなりお電話差し上げて』

「いいえ。どうかなさいましたか」

『たいした用ではないんです。先ほど、ほかの作家さんと打ち合わせしていて、リンゴをいただいたんですよ』

「リンゴ……ですか」

話の先行きがまったく読めない。

『リンゴ、さくらちゃんの好物でしたよね』

「ええ」

そうだったっけ、と左手で唇に触れた瞬間、思い出した。この左手の包帯は、リンゴの皮を剥いているときに誤ってナイフで手を切ったと、ミースタに書いていた。そのときに床に落としたリンゴを、さくらが拾い食いしたとも。

『よかった。たまたま六本木を通過するところだったので、小筆さんにもお裾分けをと思って、お電話させていただいた次第です』

全身が石になった。

「ごめんなさい。いま出先なので」

『そうでしたか。残念です』

「せっかくいらしていただいたのに」

『もしあれなら、コンシェルジュに渡しておきましょうか』

「え？」

『六本木のタワーマンションなら、コンシェルジュが常駐しているところもありますよね。まだ六本木の近くなので、マンション名を教えていただければコンシェルジュに預けておきます』

「けっこうです」

　怒気を露わにすると、電話の向こうで寺本が押し黙った。それまで普通に話していたのにいきなり拒絶されたのだから、面食らうのも当然だろう。

「お気遣いは感謝しますけど、私は編集者とプライベートな交友を持つつもりはありません。寺本さんとの関係は、あくまでビジネスです」

　沈黙から戸惑いが伝わってくる。

『すみませんでした。そういうつもりではなかったのですが、いきなりご自宅に押しかけようとするなんて、たしかに軽率でした』

「わかってくだされば、それでいいんです」

『本当にすみませんでした』

　では三日後の打ち合わせで、と消え入りそうな声でリマインドし、通話が切れる。

　同時に、全身からどっと力が抜けた。

　このまま誤魔化し続けることはできるのだろうか。相当に気落ちしていたから、今後、アポなしで寺本が訪ねようとしてくることはないだろう。それでもいつかは、原稿のやりとりなどで住所を教えなければならない。

私書箱を利用したら？

あまりに不自然だ。

編集者が作家の住所を知らないまま本が出ることは、あるのだろうか。出版業界のことはわからないが、常識的にありえない。たとえ覆面作家として世間に素性を隠していようと、担当編集者だけは正体を知っていないと仕事にならない。

だとしたら打ち明けるべきか。

ミースタ上では六本木在住セレブ妻だが、実際には埼玉県在住派遣社員です――。

問題は、すべてを打ち明けた場合に、寺本がどう反応するかだ。ミースタのマンガはすべてが嘘っぱちのねつ造・盗用で、作者はセレブではないどころか、犬すら飼っていない。そんな話を聞いてなお、梨沙のマンガを書籍化したいと願うだろうか。寺本自身が愛犬家で、犬好きとして共感しながら楽しんでいるのに、だ。

素直に考えたら、すべてが白紙になる。作者の実体験が売りになるはずのエッセイマンガの内容が、すべて虚偽だったのだ。それでも価値があると思えるほどの内容も技術もないのは、自分自身がいちばんよくわかっている。出版社としても虚偽である事実を隠して本を売り出す努力をするより、すべてをなかったことにするほうがよほど楽だろう。

だとすればやはり、隠し通すか。

どこかの段階で、真実を打ち明けなければならない。それでもいま打ち明けるのと、ギリギリまで隠してから打ち明けるのでは、対応も変わってくるはずだ。たとえば本の発売が決定し、書店から注文が入った段階で真相を知ったら、出版社としても発売中止の判断をするのは難しいのではないか。寺本は失望するだろうし、二冊目の話もないだろうが、どのみち縁が切れるのなら、自分の名を冠した本が出た後のほうがいいに決まっている。いま誠実になったところで、なにも手に入らない。

行けるところまで行くしかない。

梨沙は包帯を巻いた左手を、右手でぎゅっとつかんだ。

5

その日の寺本は、最初からひどく恐縮した様子だった。怯(おび)えているという表現のほうが適切かもしれない。店に入った梨沙を見つけるなり、椅子から飛び上がって直立不動になった。歩み寄る梨沙に向かって、九十度に上体を倒す。

「先日は、本当にすみませんでした」

「やめてください。ほかのお客さんが見ています」

六本木のお洒落空間に似つかわしくない、体育会系の謝罪だ。周囲の客たちがなにごとかという感じで、こちらに注目している。

「座ってください」

寺本を促しながら、梨沙は少し安堵（あんど）していた。あのときはとっさにキレてしまったが、明らかに不自然な態度だという自覚はあった。こんな情緒不安定な相手とは仕事できないと思われたのではないかと、心配していたのだ。

「本当に申し訳ありません」

「もういいです。謝らないでください」

「いえ。あの後、自分の行動を省みました。まだ一度しかお会いしていない相手にたいして、たしかに失礼でした。不快に思われても仕方ありません。編集者を友人のように扱ってくださる作家さんもいますが、編集者とどう付き合うかは、あくまで作家さんが決めることです。小筆さんがどういう関係を望んでいらっしゃるかも考えず、押しかけ女房ならぬ、押しかけ編集者になってしまいました」

すみませんでした、と、重ねて頭を下げられた。

「気にしないでください。怒っているわけではありませんので」

「本当ですか」

上目遣いに疑念が浮かんでいる。

「あんな言い方をして、私も悪かったと反省しました。寺本さんはなにも知らなくて、ただの善意だったのに」

実は、と梨沙は重々しい口調で切り出した。

「一人暮らしをしていたとき、ストーカーが自宅に侵入してきたことがあるんです」

寺本が目を丸くする。

「友人として信頼していた方だったので、すごくショックでした。それ以来、少し男性恐怖症というわけではないんですが、過敏に反応してしまうところがあるんです。ですから、なにも知らない寺本さんは悪くありません。すみませんでした」

「いいえ。そんな事情があったとはつゆ知らず……私も無神経だったと思います」

互いに頭を下げ合った。

ストーカーが自宅に侵入したというのは、真っ赤な嘘だ。

梨沙にとって嘘は日常だった。息を吐くように口から滑り出てくる。そして嘘をついているうちに、それが本当にあったことのような錯覚に陥る。整合性など考えずに嘘をつきっぱなしでいられるＳＮＳは、だから梨沙にとって、のびのびと自己表現できる場所だった。現実ではないが、たしかに存在するもう一つの世界。制服を着て接客しながら、六本木に帰りたいとか、ダーリンやさくらは元気にしているかな、などと考えることすらある。

ランチコースの料理が運ばれてきた。パスタをメインとしたイタリアンだ。

食事の間、寺本はほとんど質問を投げかけてこずに、自分の話をした。和解に至ったものの、不用意にプライベートに踏み込んで相手を怒らせてしまうのを警戒しているようだ。

寺本曰く、梨沙のマンガを紹介してくれたのは、同棲中の恋人だった。寺本と同じく愛犬家の恋人は、ＳＮＳで犬にまつわる発信をフォローしていた。そこで〈保護犬さくら、港区女子になる〉を見つけ、おもしろいから読みなよと薦められた。すると恋人以上に寺本がハマってしまい、今回の依頼に至ったという。

「かわいいですね」

梨沙は言った。

寺本がこちらに向けたスマートフォンの液晶画面の中で、ブサカワなパグが首をかしげている。背中から天使の羽のようなものが飛び出しているので、服を着せているようだ。

「ありがとうございます。正直、飼う前はパグをかわいいと思ったことがなかったんです」

「ということは、やっぱり彼女さんの意見で？」

寺本は恋人に頭が上がらないらしい。尻に敷かれているのか、それとも、寺本がぞっこんなのか。

「ペットショップに行く前はミニチュアダックスにしようって話していたのに、お店に入ったら急にこの子がいいって言い出して。目が合って運命を感じたらしいです」

そこまで言って、失言に気づいたかのようにはっとする。

「ごめんなさい。大福はペットショップ出身なんです」

さくらが元保護犬という設定なので、ミースタで生体販売の規制を訴える投稿もしたことがあった。

もっとも、現実の梨沙には問題意識など欠片もない。なんとなく意識が高そうでかっこいいと思ったから、問題提起してみたまでだ。

「気にしないでください。ペットショップ出身だろうと元保護犬だろうと、命の重さに変わりはありません。どちらも天使です」

ペットショップ出身かどうかなんて、どうでもいいし。

そもそもあなたの犬に関心ないし。

「大福をお迎えした時点では、生体販売への問題意識なんて持ったことがなかったんです。でも小筆さんの投稿を読んでから、私も考えるようになりました。赤ちゃんのころに母親から引き離して、ショーケースで見世物にするなんて残酷です。犬は本来、群れで暮らす動物ですから」

そんな主張をしたかもしれないが、よく覚えていない。たぶんインフルエンサーの誰かの受け売りだろう。

これ以上話が広がっても困るので、とりあえず笑顔で頷きながらやんわり話題の矛先をずらした。

「気乗りしていなかったのに、いまじゃすっかり良いパパさんですね」

「大福がそう思ってくれていればいいんですが」

照れ笑いを浮かべながら、寺本が液晶画面をスワイプする。

「パグの顔ってけっして整ってはいないんだけど、そのぶん表情豊かっていうか、ほら、マズルが短いから顔が平たくて、人間に近くないですか」

マズルという単語の意味がわからないが、言いたいことはなんとなく理解できる。

「そうですね」と話を合わせた。そうすれば犬好きは勝手に話を進めてくれる。延々と代わり映えのしない写真を見せられるのは、勘弁して欲しいが。

「でしょう？　なんというか、人間のおじさんみたいで、すごく愛嬌があるんですよね。だからフォトジェニックっていうか、どの瞬間を切り取っても同じ顔にならなくて、写真を撮りまくってしまいます……まあ、これは完全に親バカの自覚がありますけど。おかげでクラウドの契約容量を上げる羽目になりました」

「何ギガバイトで契約しているんですか」

「何ギガかは、よく覚えていないんですけど」

「その機種だとクラウド容量オプションを利用しているのではと思いますけど、プラス二十五ギガ以上だと料金が高くなるから、ほかのクラウドサービスを利用するほうがお得になる可能性が高いです」

「お詳しいんですね」

はっとした。職業病が出てしまった。六本木のタワマン暮らしのセレブは、そんな細かいことを気にしない。

取り繕うべきか考えたが、寺本はとくに気にしていないようだった。

「そういえば」と梨沙を見る。

「さくらちゃんの写真、ほかにないんですか」

「え？」

「ミースタに上げたもの以外にも、撮影しているんですよね」

「もちろん」

「見たいな」

「ダメです」

そんな反応をされるとは予想もしていなかったかのように、寺本が目を剝いた。

考えろ。考えろ。愛犬の写真を見せられない、納得のいく理由をひねり出せ。

「いま、スマホの中身が空っぽなので」

寺本の驚愕の表情は変わらない。

「さくらの写真を撮り過ぎて、容量がいっぱいになっちゃったんです。だから今朝、データをぜんぶPCのハードディスクに移行させたばかりで」

納得してくれたようだ。寺本が大きく頷く。

「犬を飼っていると、すぐにメモリがいっぱいになりますよね。わかります」

だったら、と、寺本がしてきた提案に、梨沙が硬直する番だった。

「書籍化したものには、さくらちゃんの未公開写真なんかを掲載するのも、いいかもしれません。読者はきっと喜びますよ」

「え、ええ」

かろうじて反応できたものの、頭の中は真っ白だった。

「あるいは、初刷の特典でさくらちゃんのミニ写真集を付けるのはどうでしょう。やっぱり初動が大事ですから、特典を付けることで購買を促す効果が期待できるかと。あとは、書店さんでのトークイベントに、さくらちゃんがゲストとして出演するというのは――」

「それは嫌です。さくらへのストレスになりますから」

「ですよね。ペット同伴可のお店にすら連れてこられないんだから、もっとたくさんの人が集まるイベントは無理ですよね。すみません。調子に乗ってしまいました」

「いいえ」

その後の話はほとんど上の空だった。

写真。写真。

どうしたらいいのだろう。

6

――寺本さん、おはようございます。本日の打ち合わせですが、体調を崩してしまったのでキャンセルさせてください。昨夜遅くから発熱してしまいました。急な連絡になり、すみません。

メールを送信すると、五分後には返信があった。

――承知しました。発熱とのこと、大丈夫でしょうか。こちらのことはご心配なく、お大事になさってください。

ベッドサイドを背もたれにしながら、ふうと虚空に息を吐いた。今日のところは寺本と顔を合わせずに済んだ。これからどうすればいいのか。まさか本が出るまで、一度も会わないわけにはいかないだろう。

　いろいろと考えてみたものの、さくらの未公開写真を見たいという申し出を断る口実が見つからない。結局、今日の打ち合わせは仮病でキャンセルすることにした。

　ミースタを開き、トニーのアカウントに飛んでみる。新しい投稿があった。右耳だけが茶色い中型の雑種犬が、芝生の上に腹ばいになってカメラを見上げている。

　梨沙はスクリーンショットで写真を保存した。犬の顔の部分だけを四角くトリミングする。左右を反転させたのは、とくに意味のないおまじないのようなものだ。そんなことをしても、オリジナルの写真を投稿した人物が見ればひと目で無断転用とわかるが、左右を反転させるひと手間を加えることで、これは自分の作品だと自分に言い訳している。右耳が茶色いのがメアリー、左耳が茶色いのがさくら。似ているけど別の犬。

　そんなわけないが。

　これでミースタ用の素材は一枚増えた。けれどこの一枚を未公開写真として見せたところで、寺本は納得しない。飼い主と一緒に写っているものはないのかと、不審に思うだろう。こちらが頼みもしないのに、寺本は大福の写真を大量に見せてきた。相手が迷惑しているとはつゆほども疑っていない様子だった。おそらくあれが犬好きの習性だ。写真一枚ではとても足りない。

　これ以上の素材提供は期待できない。今回の投稿だって、十日ぶりの更新だった。

　トニーにＤＭで直接連絡してみるのは、どうだろう。メアリーの飼い主であるトニーならば、当然、ミースタにアップしたもの以外にもたくさんの写真を撮影しているはずだ。トニーにコンタクトし、メアリーのほかの写真も見てみたいと伝える。

しばらく考えて、かぶりを振った。よくない。

いきなり見ず知らずの異国の人間からDMを送ってこられて、なんの詮索もなしに素直に要求に応じるとは思えない。DMとは違うが、梨沙がさくらとして投稿した写真にも、海外からと思われるコメントがつくことがある。『Ｓｅｎｄ　Ｍｅ』という言葉が含まれているので、おそらく写真を要求されているのだが、梨沙が応じたことはない。怪しげなスパムアカウントだと判断し、無視している。

だいいちトニーに接触することにより、愛犬の写真の盗用に気づかれるリスクが増す。フォロワーも少なく、マイペースに愛犬の写真を投稿し続けるトニーは、遠い異国で写真が無断転用されているなど、想像すらしないだろう。しかし梨沙が接触することで、その事実に気づくかもしれない。その場合、金銭を要求されるまではいかないだろうが、警戒してアカウントに鍵をかけたり、あるいは投稿自体を控えたりといった対応が考えられる。

トニーに写真を要求することはできない。

だとしたらどうするか。やはり寺本にすべてを打ち明けるか。

ありえない。愛犬への想い(おも)と生体販売への問題意識を、あれほど熱く語っていたのを聞いてしまった後では、それがいかに無謀な選択なのかがよくわかる。真実を知ってなお、梨沙を作家として守ってくれるとは、とても思えない。

ではどうするか。元保護犬で神経質だという口実で、さくらに直接会わせないのは可能かもしれない。しかし写真を見せてくれという要求を断り続けるのは、現実的でない。

血統書付の純血種だったらよかったのに。とくにトイプードルなどは、飼い主以外には見分けがつかないのではないかと思うほど、外見がよく似ている個体がいる。出費は痛いが、純血種ならペットショップでもブリーダーからでも似たような個体を入手できた。

メアリーによく似た、中型の雑種犬。全体が白く片方の耳だけが茶色い個体など、ほかにいるのだろうか。

ためしに『片耳だけ茶色い犬』で画像検索してみたが、まったく出てこない。そりゃそうだ。こんな単語で検索しているのは、日本広しといえども梨沙だけだろう。

次に梨沙が検索窓に入力したのは『保護犬』という単語だった。

検索結果のいちばん上に表示されたＵＲＬにアクセスしてみると、保護犬猫の里親募集情報をまとめたサイトのようだった。特定の保護団体ではなく、さまざまな保護団体の登録情報から、検索条件を指定して閲覧できるらしい。

犬も猫も載っているようなので、犬だけに絞り込んでみる。画面には犬の顔写真のサムネイルがずらりと並んだ。サムネイルをクリックすると、詳細な情報が見られるようになっている。

左上から順にクリックしていく。

――マメちゃん（ポメラニアンの女の子、推定五、六歳。募集地域、関東。募集経緯、ブリーダー放棄）

――さなちゃん（トイプードルの女の子、推定六歳。募集地域、関東。募集経緯、多頭飼育崩

壊）

――モンちゃん（グレートピレニーズの女の子、年齢九歳。募集地域、関東。募集経緯、ブリーダー放棄）

――ラルフくん（トイプードルの男の子、八歳。募集地域、中部。募集経緯、飼育放棄）

――ななちゃん（雑種の女の子、二か月。募集地域、中国。募集経緯、保健所・愛護センター引き出し）

――福丸くん（ミニチュアダックスフンドの男の子、二歳。募集地域、中部。募集経緯、ブリーダー放棄）

――ジェミニちゃん（雑種の女の子、推定二・五か月。募集地域、関東。募集経緯、保健所・愛護センター引き出し）

年齢や品種もさまざまな犬が、さまざまな事情で次なる家族を探していた。保護犬といえば野犬で雑種という漠然としたイメージを抱いていたが、純血種が多いのは意外だった。ブリーダー放棄や多頭飼育崩壊はわかるが、たんに飼育放棄と書かれているのは、なにがあったのだろう。飼育放棄というからには、飼い主が死んだわけでもないだろうに。

気づけば梨沙は、二時間近くも保護犬情報を読みふけっていた。かわいい犬を愛でるというより、そこに人間の悪意と傲慢さが詰まっている気がして目が離せなかった。気まぐれで飼って気まぐれに繁殖させ、気まぐれに手放す。なんだ、人間って汚い生き物じゃないか。こいつらに比べれば私の嘘なんてかわいいものだし、許容されるべきだ。

ふいに腹の虫が鳴って、朝からなにも口にしていないのに気づいた。トーストでいいか。スマートフォンをミニテーブルに置こうとした拍子に、液晶画面を親指で弾いてしまい、画面がスクロールする。

「えっ」と声を漏らし、スマートフォンをふたたび顔に近づけた。

ずらりと並んだ写真の中に、さくら――いや、メアリーによく似た顔を見つけた気がしたのだ。似ている。丸くトリミングされたサムネイルには、白い犬の顔が切り取られていた。向けられたレンズを嫌がるように顔を背けながら、視線だけをこちらに向けている。コロンと名付けられていて、推定五歳と記載されていた。『とても人慣れした子です』というコメントも添えてある。

サムネイルをクリックして詳細を表示させた瞬間、全身の産毛が逆立った。

サムネイルのほか、三枚の写真が掲載されている。やはりメアリーに似ている。それだけではない。サムネイルでは隠れていた左耳が、そこだけ茶色かったのだ。ということは、この犬はもはやメアリーではない。さくらだ。

紹介文を詳しく読んだ。

――わたしの名前はコロン！　雑種（ミックス犬）の女の子で誕生日はわかっていません。年齢は推定五歳の成犬です。中型犬で体重は十二キロ。募集経緯は、保健所・愛護センター引き出しです。明るく、人なつこい性格です。

ほかに避妊手術は実施済、単身者不可、高齢者不可、お迎え費用が五万円という情報が書き添えてある。

五万円――いまの梨沙にとってけっして少ない金額ではないが、用意できないわけではない。ペットショップやブリーダーから購入するより、断然安い。

たった五万円で本物のさくらが手に入る。海外のＳＮＳアカウントが更新されるのを待つ必要がなくなるし、写真も撮り放題だ。六本木のカフェにだって同伴し、寺本に会わせることもできる。寺本が提案したみたいに、さくらの動画配信チャンネルを作ってもいい。登録者が何十万もいるチャンネルの配信者は、動画の広告収入だけで生活していけると聞く。本の印税だって入るし、本が売れればアニメ化や映画化の道も拓ける。ＳＮＳ発の人気マンガだと、グッズ展開されているものも少なくない。期間限定のコラボカフェにファンが行列を作っているというニュースも目にしたことがある。あそこまでいけば、年収は一億円を超えるだろう。年収一億円。給料日までの日数を指折り数えたり、スーパーやコンビニで値札を見たり、タクシーを利用するのに躊躇する必要なんて、当然ない。人生がガラリと変わるのだ。

なにより、嘘がバレるのではとビクビクしなくていい。

だって、嘘ではないのだから。

さくらが実在しないのなら、実在させればいいんだ。

コロンの紹介ページには、ラブワンコジャパンなる保護団体のホームページのリンクが添付してあった。

梨沙はラブワンコジャパンのホームページに飛び、応募フォームをクリックした。

7

ラブワンコジャパンの施設は、越谷(こしがや)市にあった。東武伊勢崎(いせさき)線北越谷駅からバスでしばらく走った停留所から、歩いてすぐのところだ。三階建てのマンションの一階部分のサッシ戸は上半分がガラスになっており、『ラブワンコジャパン　お気軽にお入りください』と太字のゴシック体で書かれたＡ４の紙が貼り付けてある。

サッシ戸を開いたとたん、蜂の巣をつついたような犬の鳴き声の大合唱に怯(ひる)む。壁際に設置されたケージの中で、小型犬が吠(ほ)えていた。

奥の事務所から女性が出てきた。パーカーにデニムパンツ。黒髪をひっつめてノーメイクに眼鏡をかけた、地味な印象の女性だった。

「こんにちは」

女性が歩み寄ってくる。ケージの犬たちの鳴き声にこめられた熱量が、そっちじゃなくて自分たちにかまってくれという感じに、いちだん上がった。

梨沙の膝もとには、犬の脱走防止用と思われる柵があった。女性はその柵を開き、建物の外に出てきた。

「はじめまして。ラブワンコジャパン北越谷支部の真鍋(まなべ)と申します」

差し出された名刺には『真鍋碧(あおい)』というフルネームが記載されている。

「小筆さん、ですよね？　コロンちゃんお迎え希望の」

「そうです」

「コロンちゃんは預かりさんのところにいるんです。これから車でご案内します」

「預かりさん？」

聞いたことのない単語だ。

「団体の施設だけでは収容できる数に限界があるし、一匹ずつに目配りすることもできません。ですから登録しているボランティアさんのご自宅で、一時的に預かっていただいています」

だから「預かりさん」か。

近くの月極（つきぎめ）駐車場に止めてある軽自動車に乗り込み、二十分ほど走った。同じ埼玉県とはいえ、もはや自分がどのあたりにいるか見当もつかない。

「川の向こうは春日部（かすかべ）です」という真鍋の説明を聞く限り、まだ越谷市から出ていないようだ。

軽自動車は住宅街を進み、広い庭のある一戸建ての前で止まった。家の中からコロンと思われる犬の鳴き声が、早くも聞こえてくる。上手く唾が呑み込めなくて、梨沙は自分が緊張しているのに気づいた。

真鍋を追って一戸建ての玄関に向かう。門扉には『神田（かんだ）』という表札がかかっていた。

真鍋がインターフォンの呼び出しボタンを押すと、スピーカーから『はぁい』と快活そうな女性の声が応じ、すぐに玄関扉が開いた。

声の印象そのままの、おおらかそうな壮年女性が出てくる。その背後にはラブワンコジャパンの出入り口のところにもあったような柵が取り付けられていて、柵の隙間に鼻先を突っ込みながら犬が吠えていた。あれがコロンに違いない。写真で見た通り全身が白く、左耳だけ茶色い。思ったより活発そうなのに怯み、想像より小柄なのに少し安堵する。

「こんにちは、神田さん。こちらがコロンのお迎え希望の小筆さんです」

「はじめまして」

真鍋の背後から歩み出て、頭を下げた。いっそう興奮したコロンが、早く開けてくれという感じで柵をカリカリとひっかく。

「こら、コロン。お利口さんにしなさい」

神田に叱られてもコロンは鎮まらない。よけいに興奮したように吠えた。

しかし神田が両手をぱしん、と打ち鳴らすと、我に返ったようだ。吠えるのをやめ、反省したようにうなだれる。

「よし、良い子」

コロンを褒めた後で、神田がこちらを向いた。「預かりボランティアをしている神田です」

大丈夫だろうか。ホームページには人慣れしているとか、人なつこいと書いてあったが。

梨沙は不安を押し殺しながら、柵の向こうのコロンを見つめる。黒目がちな瞳からは、感情が推し量れない。この犬はなにを考えているのだろう。この得体の知れない生き物と一緒に生活できるのだろうか、という不安が膨らんでくる。しかしメアリーの写真を左右反転させたような毛並みを持つ犬を目の前にして、引き返す選択肢はなかった。

「コロン、お利口さんになりましたね。さすが神田さん」

「私はなにもしていませんよ。この子、もともと賢いし、人慣れしてるから」

愛犬家の感覚では、これでも人慣れしているらしい。

「神田さんは預かりさんとして、これまでたくさんのワンちゃんを育ててくださったんです」

「育ててなんていません。ただ一緒に過ごしているだけです。ともに生活する中で人間が信頼できる存在だと判断できたら、心を許してくれます。だからただ一緒に過ごす」

ね、とコロンに語りかけ、神田が真鍋と梨沙を交互に見た。

「でもこの子、やっぱり人に飼われていたと思う。最初から人慣れしていたし、とっても人間のことが好きみたい。すごく世話しやすいの」

最後のほうの言葉は自分に向けられたアピールだと、梨沙には感じられた。すごく世話しやすい良い子だから、この子の新しい家族になってあげてね。

「お邪魔してもっ?」

真鍋の申し出に、神田が扉を大きく開いて応える。

「ごめんなさいね、気が利かなくて。どうぞどうぞ。人間と犬も相性ってあるから、実際にふれ合ってみないことにはわからないわね」

柵を開いて玄関を上がった神田が、「おいで」とコロンを室内に誘導する。コロンは来客に気を取られながらも、神田の後を追った。

通された部屋は、二十畳ほどの広さだった。毛足の長いラグマットの上にローテーブルが置かれ、周囲を合皮のソファが取り囲んでいる。壁にはどこかの街並みを描いた絵が、額装して飾られていた。

この部屋だけでも広いのに、ほかにもいくつも部屋がある。コロンは玄関のペットゲート以外は、制限なく歩き回れるようだ。滑り止めのタイルマットが敷き詰めてある。

至れり尽くせりのこの広い一戸建てから、狭苦しいワンルームアパート。

コロンにたいして申し訳ない気持ちがこみ上げそうになり、あえて感情に蓋をする。

気まぐれに歩き回っていたコロンが、梨沙に近づいてきた。ソファに腰かけた梨沙の膝のあたりに鼻先を近づけてきて、思わず膝を引いてしまう。

「小筆さん、犬、飼ったことないんですか」

真鍋がやや不審そうに眉根をひそめた。

「私自身はないんですけど、彼は大の犬好きで、小さいころから犬を飼っていたそうです」

「彼って、旦那さんですか？」

単身者不可という条件だったはずだがと、真鍋の顔に書いてあった。

「もちろんです。まだ同居はしていないんですが」

「あら、じゃあ新婚さん？」

盆に麦茶のグラスを載せた神田が、部屋に入ってくる。

「ええ。そうです」

「うらやましい。おめでとうございます。新居に犬かあ……いいわねえ」

うっとりと虚空を見上げながら、神田がローテーブルにグラスを並べた。

「ありがとうございます」

真鍋も「おめでとうございます」と言ってくれたが、すぐに尋問モードに戻る。

「今日は、旦那さまは？」

「仕事です」

「お仕事はなにを？」

「こ……」高級官僚と答えようとして、思い直す。忙しすぎる仕事はまずいかもしれない。

「公務員です」

「公務員といっても、いろいろありますよね」

あたりがきつすぎると自覚したらしく、真鍋が取り繕う口調になる。

「ごめんなさい。プライベートについて根掘り葉掘り質問するのは失礼だと承知していますが、コロンちゃんが幸せに過ごせる環境を与えるためです。他意はありません」

「わかっています」

「うちで預かっている子たちは、満足にご飯を与えられなかったり、不潔な環境のまま放置されて病気になっちゃったりと、つらい過去を背負っているからねえ」

神田がコロンに同情の眼差(まなざ)しを向ける。コロンは自分の話題だとわかったのか、尻尾を振りながら神田に歩み寄った。神田の口のあたりをペロペロ舐(な)める。

その様子を微笑ましげに眺めていた真鍋が、こちらを見た。

「神田さんのおっしゃる通りです。つらい思いをしてきたからこそ、卒業生にはぜったいに幸せになって欲しいと考えています。いろいろ詮索されて、不快に思われるかもしれませんが」

「そんなことありません。真鍋さんのおっしゃること、よくわかります」

「ありがとうございます。ご協力をお願いします」

頭を下げる真鍋を、コロンが不思議そうに見つめていた。

「市役所です」と、梨沙はいま思いついた設定を口にした。

「どちらの市役所ですか」

真鍋の目に鋭い光が戻る。

「川越です」

「市役所なら安定しているし、安心ね」

神田がコロンの頭を撫でる。

「でしたら、できれば旦那さまと一緒にいらしていただきたかったのが本音です。お忙しいかもしれませんが、家族として迎えるわけですから」

「ごめんなさい。今日は一緒にうかがう予定だったんですけど、仕事で急な呼び出しがあったらしくて」

真鍋はそれなら仕方がないかと、自分を納得させようとするかのような、複雑な表情を浮かべた。

「小筆さんご自身は、お仕事なさっているんですか。厳しいことを言うようですが、共働きで長時間お留守番を強いるような環境であれば、コロンちゃんをお譲りすることはできません」

念を押す口調だ。

「仕事はしています。ですが在宅のライターなので、長時間家を空けることはありません。大丈夫です」

「よかったねえ。ずっとそばにいてくれるって」

神田がコロンに語りかける口調は、赤ん坊をあやすときのそれに近い。彼女はどちらかといえば、梨沙の味方のようだ。

ふむ、と、真鍋が情報を整理する顔になる。

「お住まいはペットの飼育が許可されていますか」

「いま夫と物件を探しています。もちろん、ペット飼育可の物件にするつもりです」

「それでは、すぐにお迎えすることはできない？」

「いますぐには無理ですが、すでに候補は絞っているので、そんなに時間はかからないと思います」

「具体的には？」

本当に尋問されている気分になる。梨沙の背中には、いつの間にかじんわりと汗が浮いていた。

「一、二か月のうちにはと、夫と話しています」

でも、と慌てて付け加えた。「もしもコロンちゃんをお迎えできるなら、急ぎます。どうしてもこの子をお迎えしたいんです」

「旦那さんがそうおっしゃっているんですか」

言葉に詰まる。

手をのばした真鍋に、コロンが歩み寄った。膝の上に顎を載せて甘えている。あなたにこんなことができるのか、これほどの信頼関係を築けるのかと、見せつけられている気分だった。

「小筆さんご自身は犬を飼った経験もないし、見たところ、そんなに犬好きでもないですよね。むしろ少し怖がっているというか。どうしてもこの子をお迎えしたいというのが小筆さん自身の気持ちだとは、私には思えません」

「すみません……」

いまは叱られている気分だった。どうしてこんな目に遭わないといけないのかと、自業自得を棚に上げて怒りがこみ上げる。

「謝っていただかなくてけっこうです。ただ、私が感じたことを率直に話したまでなので」

真鍋はコロンの頭をやさしく撫で続ける。

「正直なところ、コロンちゃんに新しい家族は見つからないかもしれないと、半分諦めていました。残念なことですが、うちのような施設でも、純血種やパピーちゃん、つまり子犬の人気が高いんです。コロンちゃんは雑種だし、成犬です。ですからこのまま神田さんのお宅で一生を終えたとしても、それはそれで幸せかもしれないと考えていました。神田さんに新しいワンちゃんをお預かりいただけないのは、うちの施設運営面では痛手ですが、それでもコロンちゃんは神田さんになついているし、神田さんも犬の扱いに慣れています。けっしてコロンちゃんが不幸にはならない環境です。そんなとき、小筆さんからお迎え希望のご連絡をいただいて、本当に嬉しかった。人間に捨てられて、野良犬として過酷な環境を生き抜いて、保健所で殺処分されそうになっていたこの子を、幸せにしたいと言ってくれる人が現れた……って。だからこそ、誰でもいいわけではないんです。ぜったいに幸せにしてくれる。それだけの力と覚悟がある方でないと」

にわかに漂い始めた深刻な空気に、神田が居心地悪そうに肩をすくめる。

「似ている……そうです」と、梨沙は切り出した。

二人ぶんの視線を感じながら、話し始める。

「夫がそう言ったんです。子どものころに実家で飼っていた、サチコという犬に似ているんだと。サチコは夫が赤ん坊のころ、道端に捨てられていたのをお義父(とう)さまが拾ってきたそうです。夫が十二歳のときに死んだそうですが、それまではきょうだい同然だったと話していました。それどころか、命の恩人……サチコがいるからこそ、僕はいまこうして梨沙と一緒に過ごしていられるんだよ、と」

神田が興味深そうに身を乗り出し、真鍋が眉をひそめる。

「どういうことですか」

「幼いころ、用水路に落ちた夫を助けてくれたそうなんです」

まあ、と神田は口を手で覆って素直に感動しているが、真鍋は違った。

「サチコは、コロンに似ているという話でしたよね」

「はい。瓜二(うりふた)つだそうです」

「ということは中型犬。中型犬でも小柄なほうです。そんな小さな身体で、用水路に落ちた子どもを助けられるでしょうか。いくら相手が幼い子どもとはいえ」

ぎくりとしたが、表情には出さない。

「助けたといっても、飛び込んで引っ張り上げたりしたわけではありません。その場で激しく吠え続けて、大人たちに危機を知らせたんです」

「なるほど」と、大きく頷く神田の瞳は、こころなしか潤んでいる。

「それならありえますね。疑うような言い方をしてすみませんでした」

真鍋も納得した様子だ。

気にしないでくださいとかぶりを振り、梨沙は続ける。

「ですからコロンちゃんの写真を見た瞬間、運命を感じたそうです。自分の命を救ってくれたサチコにそっくりなコロンちゃんを、今度は自分が救うんだと張り切っていました」

「そういうことなら大丈夫じゃないの。そんな人にお迎えしてもらえたら、コロンもきっと幸せになれるわよ」

神田の強力なサポートのおかげで、真鍋の気持ちも動いたようだ。

「わかりました。私としてもコロンちゃんには幸せになって欲しいと考えています。コロンちゃんを家族に迎えたいという方が現れて、すごく嬉しいです。前向きに検討したいと思います」

「ありがとうございます」

真鍋から離れたコロンが、梨沙に近寄ってくる。

コロンから遠ざかろうとする身体を叱咤し、コロンに顔を近づけた。尻尾を大きく振ったコロンが、梨沙の膝に前足を載せて顔を舐めてくる。考えてみればこれまでの人生で、これほど犬に接近したことはなかった。ぎゅっと目を閉じ、全身を石にした。

くんくんくんくん、と激しく匂いを嗅ぐ音が顔の近くを動き回り、ぬめっとした感触が唇を撫でる。コロンに唇を舐められたのだった。

「よかった。コロンも小筆さんのことを好きみたい。仲良くなれそうね」

神田が笑っている。

「ええ。よかったです」

真鍋の声音も柔らかくなった。

二人の反応を見る限り、コロンに気に入られたと解釈してよさそうだ。大丈夫。犬の扱いに慣れていないだけで、時間が経てばきっと上手くやっていける。上手くやっていかなければ。この犬は、何者でもない私を、特別な存在にしてくれる救世主なのだから。

「それでは、新居のほうが決まったら、ご連絡いただけますか」

「わかりました」

乗り切った、と思ったが、甘かった。

「コロンちゃんの飼育に適した環境が整えられているか、家庭訪問をさせていただきます」

「えっ？」

なにか？　という感じで、真鍋が首をかしげる。

終わった。

わざわざ越谷まで足を運んで、犬に顔を舐め回されるのにも耐えたのに。

梨沙はその場で倒れそうだった。

8

「――先輩。先輩」

肩に手を置かれて我に返った。

後輩の木村芽生(きむらめい)が、小首をかしげて付け睫毛(まつげ)に縁取られたまぶたをパチパチと開け閉めする。

「お先に休憩いただきました。お昼どうぞ」

「ありがとう」

「どうしたんですか、ぼーっとして」

もしかして、彼氏となにかありました？

隣の席に座り、木村が小声で訊(たず)ねてきた。

「そんなのいないから」

「本当ですかあ？　秘密主義じゃなくてえ？」

かりに恋人ができたとしても、いちいち報告するつもりもないが。

「本当にいない」

「それならよさげな男子、紹介しましょうか」

「いらない」

「でもこのままだとクリぼっちですよ」

「なにそれ」

「寂しいクリスマスになるってことです。なにげにあと二か月ぐらいじゃないですかあ。急がないとやばいですよ」

クリスマスに独りぼっちということか。言葉の意味がわかって、鼻で笑ってしまう。

「なんで笑うんですか」

木村が不快げに唇を曲げた。

「クリスマス、休み取るの？」

「はい。彼ピッピとディズニーデートです」

それなら木村より先にクリスマス休暇を申請してやろう。

甘えたようにいちいち語尾をのばす木村のしゃべり方が、梨沙は嫌いだった。だが男には好評らしく、接客されながらデレデレと鼻の下をのばしている男性客をよく見かける。梨沙の皮肉や嫌がらせにはいっこうに気づかないので、計算高いというより本当に頭が悪いのだろう。サンドバッグとしては好都合だが、見ていると苛々する。

「恋の悩みじゃなければ、どうしたんですか。生理ですか」

「違う」

あと一歩だったのだ。あと一歩で、コロンを手に入れることができた。職業も、住まいも、夫の存在もすべて嘘だったが、真鍋からは「前向きに検討する」という言葉を引き出すことができた。雑種で成犬のコロンの譲受を希望する者は少ないらしいので、ライバルも存在しない。

それなのに――。

こみ上げる悔しさに思わず顔が歪む。その様子を見た木村が「やっぱり生理じゃないですか？」と見当違いな気遣いを見せる。

家庭訪問は、どうしても誤魔化せない。真鍋に意地悪されたのかと思い、帰宅途中にラブワンコジャパンのホームページを確認すると、たしかに『ご自宅に訪問し飼育環境を確認させていただきます』という注意書きがあった。

懸命に動揺を抑えながら、新居が決まったら連絡しますと言い残したものの、真鍋に連絡することは二度とないだろう。

どのみち無謀だったのだ。さくらにそっくりな犬を手に入れさえすれば、嘘を真実にできる。コミックエッセイの内容もすべて実体験だと胸を張れる。動画チャンネルを開設することができる。いつか嘘が暴かれるのではないかと怯える必要もなくなる。路上で配られるポケットティッシュをため込んだりしないし、買い物のときにいちいちポイントカードを提示するなんてせこい真似もする必要はない。洗濯も風呂の残り湯なんか使わずに、ドバドバ新鮮な水で洗ってやる。歯磨きのチューブだって、少し出にくくなったら無理にひねり出そうとせずにポイだ。

これまでままならなかった人生が、一変する。

コロンを見つけたとき、そう思った。これしかないという思いから、勢いで突っ走った。しかしかりにコロンを手に入れられたとしても、梨沙は狭いワンルーム暮らしの独身者だ。おまけにいまのアパートでは、ペットの飼育が禁止されている。ハムスターやウサギならともかく、中型犬を飼育して、大家やほかの住人にバレないでいられるわけがない。契約違反で退去させられれば、元保護犬と一緒に路頭に迷う羽目になる。

それでも梨沙は、夢想せずにいられなかった。コロンを手に入れて、寺本に写真を見せびらかして、本が出てからは一緒にインタビューを受けて、インフルエンサーとして脚光を浴びる自分を。あと一歩で手が届きそうだった成功が、指の間からするりと抜け落ちた。そんな心境だった。

「お昼、いってきます」

「いってらっしゃい。ごゆっくり」

梨沙は、はたと動きを止めた。

「どうしたんですかあ」

木村が明るい茶髪を人差し指に巻き付けながら訊く。

「行っても、いいのかな」

「もちろんですよ。いってらっしゃい」

「でも、今日まだ来てないよね」

「なにがですか」

「中岡さん」

いつもならとっくに来ていてもおかしくない時間だ。来て欲しいわけではないが、いざ来ないとなると、なにかあったのか気がかりになる。なにより、あの老人のあしらいはほかの同僚には難しい。中岡の相手をするのが自分の役割のような、使命感めいた複雑な感情を抱いていた。

　木村がああ、という顔をする。

「そういえば小筆さん、昨日休みでしたね。あのお爺ちゃん、入院したらしいですよ」

「そうなの？　どこか悪いの？」

「なんか、股関節がどうとか言ってました。二週間ぐらい入院するけど、命にかかわるような手術じゃないから心配しないでくれと、小筆さんに伝えておいてって言われていたんでした」

「なんで私に」

　迷惑そうに顔を歪めながら、ひそかに安堵した。毎日のように一時間近く会話をする相手なんて、いまの自分にはほかにいない。

「私だって知りません。とにかくそういうことだから、中岡さんはしばらく来ません」

「わかった。じゃあ安心してお昼にいってきます」

「はあい」

　間延びした声に送られて、事務所に入った。カーディガンを羽織り、財布だけを持って店を出る。昼食はだいたいコンビニでおにぎりを買ってくるか、近くのショッピングモールで済ませる。通りを渡ってすぐのところに比較的大きなショッピングモールがあり、カフェやドーナツショップ、ラーメン店などが入ったフードコートがあるのだ。

コンビニのほうが近いが、事務所で食事をしていると同僚が出入りすることがある。なんとなく一人になりたい気分なので、ショッピングモールを選んだ。

入ってすぐのドーナツショップが比較的空いていたので、考える間もなくそこにした。オールドファッションドーナツ一つとホットコーヒーをトレイに載せ、隅の席に座る。

コーヒーを一口啜り、深いため息が漏れた。書籍化の話がなくなったわけではないが、見通しは限りなく暗い。さくらが架空の存在である事実を、いつまで隠し通せるか。週に一度、顔を合わせる寺本にたいし、さくらの写真を見せて欲しいという要求をかわし続けるのは不可能に近い。なにしろ打ち合わせの内容は、さくらが主役のマンガについてなのだ。

コロンさえ手に入れば。

いつまでもこだわっていたところで、仕方がない。わかっていても、つい考えてしまう。コロンはそれほど、さくら＝メアリーにそっくりだった。勝手に運命を感じてしまうほどに。だがコロンにしてみれば迷惑千万だろう。裕福なだけでなく愛情にあふれた神田と暮らす一戸建てから、犬を飼った経験すらない独身女のワンルームアパートへなんて、都落ちも良いところだ。

切り替えよう。ほかのことは口から出任せで乗り切れても、家庭訪問だけは無理だ。知人に頼んで家を使わせてもらうという案も検討したが、そもそも梨沙にはそんなことを頼める相手がいない。ミースタでは華やかな交友があるように装っているものの、現実の友人など一人もいなかった。友人の作り方がわからないのだ。

学生時代からそうだった。つい話を盛ってしまう癖のせいで、嘘つき呼ばわりされ、友人だと思っていた相手が離れていった。最初はいいのだ。嘘を鵜呑みにして、興味を抱いてくれる者もいる。しかし加減とやめ時がわからない。嘘を重ねて自分を大きく見せ続けないと、嫌われるような気がして不安になる。

どのみち、最後には距離を置かれてしまうのだが。

学生のときにはまだなんとなくクラスの輪の中に存在している感覚があったものの、大人になって社会に出てからは、一人も友達がいなくなった。そうなってみて気づいた。子どものころから友達なんて、一人もいなかったのだ。

包帯を巻いた左手を、右手で包む。怪我（けが）なんてしていない。血糊を塗ったガーゼに、包帯を巻いている。昔からのおまじないだった。包帯を巻いていれば、ふだん話しかけてこないクラスメイトも「大丈夫？」と声をかけてくれる。痛そう。かわいそう。なにかできることがあったら言ってね。クラスメイトから取り囲まれたときの、自分を中心に世界が回っているかのようなあの高揚が忘れられない。あまりに繰り返していると相手にされなくなるのは経験から学んでいたが、いまだにやめられないでいた。

自分は孤独だと、ときどき梨沙は思う。けれどほかの人間だって、本当はみんな孤独で、孤独でないふりをしているだけではないか。孤独でない人間は、存在しないのだ。友達ごっこ。親子ごっこ。恋人・夫婦ごっこ。すべては孤独な自分を慰めるためのごっこ遊びで、虚飾に過ぎない。みんな、独りではないと自分や他人に嘘をついている。そうに決まっている。でなきゃ、クリぼっちを避けるために急いで恋人を作るなんて考えには至らない。

そういう意味でむしろ自分は、誠実だとすら思う。上手い嘘はバレない。だからもっと上手く嘘をつかねばと思う。

オールドファッションドーナツの味を感じないまま、食べ終えた。口の中を残ったコーヒーですすぐ。

戻ったらまた仕事だ。中岡は現れない。いまのところ、自分を必要としてくれる唯一の存在。かりに書籍化の話が消えてなくなったとしても、中岡は自分に会いに来てくれる。

あいつだけかよと自嘲の息を吐いた瞬間、閃き(ひらめ)が全身を貫いた。

中岡はいま、家にいない。二週間ほど入院する。

中岡は梨沙の勧めで機種変更した。契約データは保管してあり、店舗のパソコンから閲覧可能。住所はわかる。

——念のために確認しておくけど、合鍵は。

——家の前の植木鉢の下。

——そう。

なにげなく交わしていた、あの会話。

あれが本当なら、合鍵を使って中岡宅に侵入できる。

中岡は以前に梅子という名前の秋田犬を飼っていた。自宅は一戸建てで、もともとは妻と一緒に暮らしていたから、犬を飼育するのにじゅうぶんな広さのはずだ。

無人の中岡宅を、自分の家と偽って真鍋の家庭訪問を乗り切る。

そんなことができるだろうか。

もしもできたとしたら。

梨沙の中で、一度萎（しお）れたはずの希望の芽が起き上がった。

第二章　死体と犬

1

まだ中岡の家にすら到着していないのに、全身が心臓になったかのように激しく拍動していた。すれ違う通行人の記憶に残らないよう普通に振る舞わなければと意識するほど、普通がどういうものかわからなくなる。

梨沙は目を伏せてスマートフォンの地図に視線を固定し、誰とも目が合わないように心がけて歩いた。

昼休憩から戻った後、店の端末で中岡の契約情報を閲覧し、画面をスマートフォンで撮影した。マウスを握る手がじっとりと汗で濡(ぬ)れていた。

たった十時間ほど前のことだ。善は急げ。行動の早さとは裏腹に、時間の流れは遅く感じた。早く勤務時間が過ぎ去って欲しいと急(せ)く思いと、退勤した後には違法行為に及ぶのだと尻込みする思いが交錯し続けた。だからといって、計画を断念するつもりは毛頭ない。立ち止まれば犯罪者にはならなくても、惨めな人生が延々と続くだけだ。

契約情報に記されていた中岡の自宅は、『もしもしショップ川越店』から徒歩二十分ほどの場所だった。毎日、梨沙とたわいない世間話をするために片道二十分もの道のりを歩いてきたとわかっていれば、もう少しやさしく接してあげられたかもしれない。

帰宅後、夜十一時過ぎに自転車で自宅を出た。駅の駐輪場に自転車を入れ、そこから徒歩で中岡宅に向かう。思いのほか空気が冷たく、もう一枚、なにか羽織ってくればよかったと後悔したが、引き返しはしなかった。いったん帰宅したら、勇気が萎れてしまう気がした。

駅周辺には帰宅途中のサラリーマンなどの姿が多かったが、メインストリートから一本外れると街はすっかり寝静まっていた。暗闇に浮かび上がるようなコンビニの前を通り過ぎてしばらく歩いたところで、梨沙の足は止まった。

目の前には、二階建ての木造家屋が建っている。あらかじめストリートビューで確認していたのと同じ外観だが、実際に見るともっとこぢんまりした印象だった。

門扉があり、敷地を囲う塀の内側に家屋が建っている。塀と家屋の隙間は一メートルもない。門扉に表札はないが、玄関扉の横にポストが設置されていて、表面の記入欄に、マーカーでなにか書かれていた。敷地の外から、しかも暗い中では文字が読み取れない。

あたりはひっそりと静まりかえっていて、通行人の姿もなかった。遠くに自動車かバイクのエンジン音が、うっすらと聞こえる。

中岡宅の両隣も民家だった。向かって左隣の家は消灯しているものの、右隣の家には灯(あか)りが点(つ)いている。二階の窓にカーテンがかけられ、隙間から光が漏れていた。角度的に中岡宅の出入りが見えないこともなさそうだが、見張っているわけでもあるまい。

格子の門扉は梨沙の腹ぐらいの高さで、レバー状の把手(とって)をひねることで内側の閂(かんぬき)が外れる仕組みだった。かちゃり、とかすかな金属の触れ合う音さえ、やけに大きく響いた気がして、びくっと肩をすくめてしまう。

もう一度、周囲を見回して人目がないのを確認し、梨沙は敷地内に立ち入った。門扉を閉じ、閂をかける。

しゃがみ込んでしまえば、塀が目隠しになってくれた。

まずポストの表面を確認する。マーカーの文字はかすれて、意味不明の点や線が残っているだけだった。これがもともと『中岡』だったと判読できるのは、梨沙が住人の名前を知っているからで、予備知識のない人間には、なんと書いてあるのか読み取れないだろう。ポストの表面をじっと見つめたりしなければ、まず大丈夫なはずだ。

梨沙は息を殺し、家の中の気配を感じ取ろうとした。本当に留守だろうか。中岡が入院しているとしても、中岡の家族などが泊まり込んでいる可能性はある。あるいは、入院という情報自体が間違いかもしれない。

しばらく全身を耳にしていたが、気配は感じ取れなかった。

ポストの上に呼び出しボタンが設置されていた。スピーカーで会話できるインターフォンではなく、来客を知らせるチャイムだけのシンプルなものだ。

誰か出てきたらどうしよう。中岡本人だったらどうとでも誤魔化せる。しかし中岡の身内だった場合には厄介だ。酔っ払って家を間違えたふりでもするか。怒鳴られるかもしれないが、留守を確認せずに忍び込んで警察に通報されるよりマシだ。

呼び出しボタンに人差し指を置き、軽く力をこめる。押し込むときにキン、離すときにコンと、扉の向こう側で音がした。

しばらく待ってみても反応がない。念のため、もう一度押してみたが、結果は同じだった。留守なのは間違いなさそうだ。

となると、次は家の鍵——。

中岡は植木鉢の下に合鍵を隠していると言っていた。その言葉の通り、扉の横には植木鉢が二つ、その隣にプランターが置いてある。

突然、自動車のエンジン音が聞こえ、素早くしゃがみ込んだ。

塀の向こう側を自動車が通過していく。

エンジン音が遠ざかり、息を吐いた。そのとき、自分が呼吸を止めていたのに気づいた。

梨沙は塀を背にしてしゃがみ込んだまま、まずは扉のすぐ横にある植木鉢を両手で持ち上げようとした。ところが思いのほか重く、持ち上がらない。手が滑って尻餅をついてしまう。その拍子に、背後の塀に後頭部を打ち付けた。思わず声を上げそうになったが、ぐっと唇を嚙んで堪（こら）えた。両手で後頭部をさすっているうちに、視界がぼんやり滲む。自分はいったいなにをやっているんだ。痛みと惨めさ、どちらの涙なのか自分でもわからない。

今度は軽く腰を浮かせ、腹に力をこめて踏ん張った。植木鉢が持ち上がる。しかしそこに鍵はない。

隣の植木鉢も、その隣のプランターも持ち上げてみたが、見つかったのはミミズの死骸だけだった。

終わった。

全身から力が抜ける。

呆然（ぼうぜん）としながら、塀に背をもたせかけた。

植木鉢の下に合鍵を隠しているというのは、たんなる冗談だったのか。なにげない軽口を真に受けて、ここまで来てしまったのだろうか。あるいは合鍵は存在していたが、入院に際して撤去した可能性もある。急な入院ではないようだから、準備する時間はあっただろう。いずれにせよ、合鍵は見つからない。

ここまでしたのに、ただ疲労困憊（こんぱい）して、地面に尻餅をついて服が汚れ、後頭部をしたたかに打っただけ。あまりの滑稽さに笑いがこみ上げてきそうになる。

痺（しび）れていた脳が本来の機能を取り戻すように、冷静さが戻ってきた。

コロンを手に入れることができるかもしれない。そうすればままならない人生を好転させられる。熱に浮かされたように行動してしまったが、赤の他人の家を自宅と偽って保護団体の家庭訪問を受け入れるなんて、どう考えてもまともじゃない。

帰ろう。塀から背中を剥がし、立ち上がろうとした、そのときだった。

敷地の隅のほうに植木鉢らしいシルエットがあるのに気づいた。玄関横の植木鉢やプランターにはすべて植物が植えてあるが、その植木鉢にはなにも植えられていない。

もしかして。梨沙は膝が汚れるのも気にせず、四つん這（ば）いで近づいた。

その植木鉢には、土が敷き詰められているだけだった。

両手で持ち上げた瞬間、全身が粟立（あわだ）つ。

鍵があった。

玄関扉の前に戻り、鍵穴に鍵を差し込んでみる。鍵は抵抗なく、すんなりと鍵穴に収まった。

解錠するには手首を右にひねるのか、それとも左か。そんなことすらわからなくなっている。

ためしに右にひねると抵抗があったので、反対にひねった。

かちゃり。

錠が外れた。

周囲を確認しながら扉を開き、玄関の中に入る。

後ろ手に扉を閉めると、真っ暗でなにも見えなくなったので、スマートフォンのライトを点けた。

「こんばんは。中岡さん」

小声で呼びかける。もちろん反応はない。

ライトで照らしながら、家屋内の様子を確認した。足もとの玄関は、小石を敷き詰めたようなタイルになっている。サンダルが一足。ほかの靴は、玄関脇の下足箱に収納されているようだ。

身内が泊まり込んでいることはなさそうだ。

靴を脱いで玄関を上がった。

まっすぐのびた廊下の右側に障子戸が並んでいる。トイレや台所、洗面所、浴室といった水回りは、左側にまとめられているようだ。廊下の先には階段が見える。手前の障子戸を開くと、そこは居間だった。和室の中央に長方形の座卓が設置されていて、座卓のそばには折りたたみ式の座椅子がある。そして座椅子に座るとちょうど正面にあたる位置に、液晶テレビが設置されていた。液晶テレビの下のテレビ台には、意外にも家庭用ゲーム機が収納されていた。あの老人がコントローラーを手にテレビゲームに興じる姿など想像できないが、思ったほど年寄りじみた部屋でないのは、梨沙にとってはありがたい。唯一、壁にかけられた信用金庫のカレンダーに、いかにも独居老人という哀愁が漂うものの、許容範囲だろう。

スマートフォンのライトを動かしながら、観察を続けた。

居間には梨沙の入ってきた戸のほか、左手に障子戸があった。別の和室につながっているようだ。そちらのほうは寝室として使用されていたのだろうか。がらんとしていて、奥の押し入れを開けると布団が一組、収納されていた。布団の横には引き出し式の衣装ケースがあり、タオルや下着類が収納されている。そしてこの部屋からも廊下に出られるようになっていた。

寝室から廊下に出て、玄関のほうに戻る。洗面所、台所、浴室、トイレ。台所の出入り口にかけられた珠暖簾（たまのれん）に昭和を感じるが、犬を飼育できるか判断するための家庭訪問で台所まで見ないだろう。

二階にも二つの部屋があったが、ほとんど物置になっていた。階段の上り下りが大変だからか、生活の大部分は一階で完結させていたようだ。

あらかた検分を終えた。真鍋がどこまで細かくチェックするのか想像もつかないが、彼女が審査するのはこの家が犬の飼育に適しているかで、梨沙が本当にこの家に住んでいるかではない。

明日にでも家庭訪問希望の連絡を入れよう。

玄関で靴を履こうとしたとき、スマートフォンが振動して小さく悲鳴を上げた。

寺本からのメール着信だった。梨沙がミースタにアップした新作マンガにとても共感しておもしろかったという賛辞と、書籍化の際の描き下ろしマンガの進捗を訊ねる内容だった。賛辞は枕詞(まくらことば)のようなもので、本題の用件は後半のほうだろう。

いまはそれどころではない。返信は帰ってからだ。

靴を履き、玄関扉をわずかに開けて外を見る。

塀の向こうを歩く通行人の姿が目に入り、すぐに扉を閉めた。

足音が遠ざかるのを待って、ふたたび扉を開ける。今度は大丈夫だ。外に出て、扉に鍵をかけた。

そして、この鍵をどうするべきか考えた。中岡が不在なら、このまま持ち去ったところで気づかれない。どのみち家庭訪問でもう一度訪れるので、そのときに植木鉢の下に戻せばいい。

しかしたとえば、中岡が自宅から私物を持ってきてくれるよう、誰かに頼んだとしたら？　衣類、預金通帳、あるいは暇つぶしのための本。そういったものを取ってくるよう誰かに依頼することは、じゅうぶんに考えられる。鍵は植木鉢の下にあるから、そいつを使って入ってくれ。いつもの調子で誰かに要求する様子を、容易に思い浮かべることができた。

やはり植木鉢の下に戻しておこう。

しゃがみ込んだまま塀の内側を移動し、植木鉢の下に鍵を隠した。それから門扉を開いて敷地の外に出る。

周囲を見回して人目がないのを確認し、足早に歩き出した。来たときよりも風が冷たくなり、肌寒いほどなのに、梨沙の全身は汗だくだった。

夜気を吸い込んで身体の火照りを冷ましながら、足取りが軽くなる。

出版、動画チャンネルの開設、登録者数百万人、森山豪太郎のような有名人との交友。車だろうと家だろうと、買い物はぜんぶキャッシュの一括払いだ。先ほどまでいた中岡の家よりも大きくて広い物件を、都内の一等地に購入してやろう。もちろん建て売りではなく、梨沙のこだわりを詰め込んだ注文住宅だ。

潰えたはずの未来が鮮やかな色彩を取り戻し、気づけば梨沙はスキップしていた。

2

翌日、昼休憩の時間に、真鍋に電話した。

しかし電話をかけてもつながらず、先に食事を済ませようとショッピングモールに入った。そのとき、スマートフォンが振動した。

「もしもし」

『もしもし、真鍋です。お電話をいただいたようですが』

「はい。ちょっと待ってください」

店内のＢＧＭがうるさく感じて、モールの外に出た。

「お待たせしました。電話しました。家庭訪問をお願いしようと思って」

『ということは新居が決まったんですか。おめでとうございます』

真鍋の声が弾んだ。

「ありがとうございます。新居というか、もともとはアパートかマンションを探していたのですが、亡くなった祖父の一戸建てを相続することになったので、夫とも話し合って、そこに住むことに決めました」

『お祖父さま、亡くなられたんですね。それなのにおめでとうございますなんて』

電話から聞こえる声が、一転して翳る。

「祖父が亡くなったのは何か月も前のことなので、気にしないでください」

『一戸建てなら、コロンちゃんものびのび暮らせそうですね』

「ええ。祖父は以前にその家で秋田犬を飼っていたので、大丈夫だと思います」

『秋田犬ですか。そんなに大きな犬を飼っていたのなら、中型犬のコロンちゃんには広すぎるぐらいかも。家庭訪問、いつごろにしましょう』

「いつなら来ていただけますか」

『小筆さんのご都合に合わせます。これから引っ越しなどでバタバタするでしょうし、落ち着いてからでも』

「実はもう、引っ越しは済ませているんです」

さすがに驚いたらしく、応えるまで少し間があった。

『ずいぶん動きが早いですね』

「前々から準備していたんです。良い物件が見つかったらすぐにでもって、夫と話していたし」

『そうですか』

「ですから、いつでも来ていただいてかまいません」

むしろ、できる限り早く来てもらわないと困る。

本来の住人が戻ってくる前に。

真鍋が黙り込んだ。不審に思われただろうか。必要以上にことを急いている印象を与えたかもしれないが、実際に急いでいる。中岡の入院は二週間と聞いたが、実際にどれぐらいになるかはわからない。

『でしたら、来週の水曜日はいかがでしょう』

安堵した。黙り込んだのは、スケジュールを確認していただけのようだ。

「かまいません。水曜日の何時ごろになりますか」

本当は明日にでもお願いしたいところだが、これ以上急かすとさすがに不審がられる。四日後。まだ大丈夫なはずだ。

『こちらは何時でもかまいませんが、午後二時ごろでいかがでしょう』

「わかりました」

『住所を教えていただけますか』

中岡の契約書の住所を伝えた。

『お祖父さまも、川越の方だったんですね』

「そうなんです」

『では来週の水曜日、午後二時にうかがいます。よろしくお願いします』

　よろしくお願いしますと応じ、通話を終えた。

　思いのほか感触が良い。真鍋に梨沙を疑う様子は微塵(みじん)もなかった。この調子なら、家庭訪問も案外あっけなく乗り切れそうだ。

　コロンが手に入る。架空の存在だったさくらが、実在の犬になる。

　ショッピングモールに入り、カフェとドーナツショップの混み具合を確認する。ドーナツショップのほうが比較的空いているだろうか。

　そのとき、ふたたびスマートフォンが振動した。真鍋からかと思ったが、違った。寺本からの音声着信だ。いつも忙しくしている印象だが、週末に連絡が来るのは珍しい。なにか急用だろうか。

　スマートフォンを耳にあてた。

『もしもし。小筆さん、いま、ちょっとだけよろしいですか』

「かまいませんけど、どうかなさいましたか。週末に電話してくるなんて珍しいですよね」

『すみません。小筆さんも週末はダーリンさんと水入らずで過ごしていらっしゃいますよね。邪魔しちゃいましたかね』

　現実は週末なんて関係ない仕事だし、夫も存在しないが。

「気にしないでください。それより、どういった用件で？」

ドーナツショップに入ろうとする客の邪魔になっていたようだ。梨沙はモール内を歩き出した。ふだんは気にならないが、電話するとなると、やはりこのモールはＢＧＭがうるさい。スマートフォンをあてていないほうの耳を、手で塞ぐ。

『さくらちゃんって、食べ物のアレルギーはありますか』

「ない、ですけど、どうしてそんなことを？」

『次回の打ち合わせで、さくらちゃんにおやつのお土産を持って行こうと思いまして。あ、打ち合わせにさくらちゃんを連れてこいというわけではありませんよ。小筆さんにお渡ししますので、小筆さんからさくらちゃんに渡してもらえれば。私からだと言い添えていただいて』

たまらず噴き出した。これは冗談だろうか、それとも本気か。

「そんなこと言っても、誰からのプレゼントか、さくらにはわからないと思いますけど」

『そうですかね。犬はしゃべれないから、どこまで通じているのかもわからないけど、意外に人間の言葉がわかっているんじゃないかって、思うことあるんですよね。小筆さんもそう思いませんか？　マンガでも描かれていましたよね』

「そうですけど」

実体験ではないし、人のマンガを盗作しただけだ。

電話しながらふらふらとモールを徘徊（はいかい）するうちに、ペットショップを見つけた。よく利用するモールなのに、興味がないからこれまで気づかなかった。しかしコロンを飼うことになったらそうはいかない。覗いてみることにした。

ショーケースに子犬や子猫が陳列されている。中には子犬というには成長しすぎた個体もいて、ほかの個体よりも安い値段がつけられていた。

――生命は等しく尊いものです。生命に値段を付ける行為そのものが、生命にたいする冒瀆（ぼうとく）で、人間の傲慢さの表れです。

以前にそんな文章を、ミースタに投稿したことがあった。動物の保護活動に熱心なインフルエンサーの言葉を転載しただけのものだが、賛同するコメントがいくつも寄せられて気分がよかった。

寺本の声が聞こえる。

『だから、言葉も伝わってると思うんです。まあ、私がそう信じたいだけかもしれませんけど。とにかく、さくらちゃんへの贈り物はあくまで私の自己満足なので、遠慮なさらずに受け取ってください』

「わかりました。ありがたく頂戴します」

『アレルギーはないとおっしゃいましたけど、ほかに食事についてのこだわりってありますか。たとえば添加物を使っているものは食べさせないとか、オーガニックしかダメとか、そういう飼い主さんもいらっしゃいますよね』

「基本的には無添加のフードを与えていますけど、無添加以外はぜったいに与えないというわけでもありません。人間だって、ときどき無性にジャンクフードが食べたくなるとき、あるじゃないですか」

『そうですよね』

我が意を得たりという感じに、寺本が声を高くする。

その瞬間、梨沙は違和感を覚えた。

スマートフォンから聞こえた寺本の声が、別の方角からも聞こえた気がしたのだ。

『私もまさしく同じ考えです。健康に過ごさせてあげたいけど、同時に楽しく生きて欲しいとも思います。だから大福にも、いろんなおやつをあげるんです』

まさか――。

視線を巡らせ、店内を観察する。間違いない。スマートフォンから聞こえる声が、この店のどこかからも聞こえてくる。

『いま地元のペットショップにいるんですけど、大福の買い物のついでに、さくらちゃんにおやつの贈り物も買っていこうと思ったんです。でもアレルギーとかあったら困るし、食べられないものをあげても迷惑なだけだと思って、いちおう確認のために電話させていただきました。じゃ、私のセンスで選んじゃって大丈夫ですかね？　さくらちゃん、好き嫌いはありますか？　魚が好きとか、肉が好きとか』

答えられなかった。

梨沙の視線の先には、寺本の背中があった。スマートフォン片手におやつコーナーに向かいながら、空いたほうの手で商品棚の商品を物色している。

振り向くな。ぜったいにこっちを振り向くなよ。

心で念じながら後ずさる。

すると、後ろから歩いてきた客とぶつかった。四十がらみの買い物袋を提げた女に、迷惑そうな顔で睨(にら)みつけられる。それでも声を上げるわけにはいかない。軽く手刀を切って謝罪の意を示し、ペットショップから遠ざかる。

ショッピングモールを出てからは早足で歩いた。

『あれ？　小筆さん？　聞こえてますか？　もしもし。もしもーし……電波悪くなったかな』

通話を切って、ポケットにスマートフォンをねじ込んだ。そのころには、早足がほとんど駆け足になっていた。

3

ラッピングのリボンを解き、中身を取り出す。

袋入りの犬用砂肝ジャーキーだった。まさしく、あのとき寺本が手にしていた商品だ。

梨沙は自宅のワンルームアパートで、ベッドサイドに背中をもたせかけて座っている。先ほどまで身につけていた一張羅から、すでに部屋着のスウェットに着替えていた。

ミニテーブルの上に置いたチューハイの缶を手に取り、口に運ぶ。

「参ったな」

太股に頬杖をつき、ジャーキーのパッケージを見つめた。

一昨日、ショッピングモールのペットショップで見かけた後ろ姿は、寺本で間違いなかったようだ。わかっていたが、あらためて気持ちが暗くなる。

さっきまで六本木で打ち合わせだった。例のごとく店に先に到着して待っていた寺本は、梨沙を見るなり満面の笑みでラッピングされた袋を差し出してきた。

「さくらちゃんに、くれぐれもよろしくお伝えください」

このプレゼントはどこで購入したものか訊いてみた。もしもさくらが気に入ったら、自分でも買いに行くかもしれないから、と。

「わざわざあの店まで行かなくても、東京ならどこかで手に入ると思いますよ」

そう前置きして寺本が告げたのは、梨沙が仕事の休憩中によく利用するショッピングモールの名前だった。

「そのモールの中にペットショップが入っているので、大福のごはんとかおやつとか、よく買いに行っているんです」

そこからの記憶は曖昧だ。

「少しお疲れみたいですね。あまり無理しないでください」と、別れ際に寺本から心配されたので、動揺を隠しきれていなかったようだ。

かくん、と首を後ろに倒し、顔を天井に向ける。あーもう。どうすればいいんだ。

寺本が埼玉県在住だというのは、最初に会ったときに聞いた。埼玉のどこ？　喉もとまでこみ上げた質問を呑み込んだのは、六本木暮らしのセレブであるリサが、埼玉のローカルな話題に興味なんて持たないと考えたからだ。一口に埼玉と言っても広い。東京の出版社勤務なら大宮とか浦和とか、せいぜいあのあたりだろうと高を括っていたが、まさか川越だったとは。しかもあのショッピングモールを日常的に利用しているとなると、生活圏が完全に重なっている。いつどこでばったり出くわさないとも限らない。むしろこれまでそうならなかったのが奇跡だ。

不幸中の幸いは、寺本が利用しているキャリアが、梨沙が働いている『もしもしショップ』で扱っているのとは、別の会社である点だった。キャリアの乗り換えでも検討しない限り、寺本が梨沙の勤務先を訪れることはない。

そして、梨沙のほうが先に気づいたのも幸いだった。あの状況を考えると、寺本のほうが梨沙に気づいて声をかけてくる可能性だってじゅうぶんにあった。想像するだけで背筋が凍る。カーディガンを羽織っているとはいえ、梨沙がどこかの制服を着ているのは一目瞭然で、どう転んでも六本木のタワマン暮らしのセレブには見えない。あの状況を上手く切り抜ける言い訳も、思いつかなかっただろう。

だとすれば、むしろラッキーだった。そう考えるしかない。生活圏が重なっていようと、これまで顔を合わせることはなかった。寺本は東京に通勤しており、夜中にもメールが来ることが多いから、毎日遅くまで仕事している。ということは、平日に顔を合わせる可能性はほとんどない。週末だけ気をつけていればいい。

梨沙はおもむろに立ち上がり、チェストの引き出しを開けた。コンタクトを付けるようになって以来、長らく使用していなかった眼鏡をケースから取り出し、装着する。

さらに髪の毛を後ろで束ね、ヘアゴムで留めた。チェストの上の卓上ミラーに自分の姿を映してみる。十人並みの容姿が、三割減で七人並みぐらいになった。暗くて異性にモテなさそうな、というより、むしろ同性の友人すらも少なそうな野暮ったい女が、そこにはいた。実際、野暮ったかろうとそうでなかろうと、友人はいない。自分の本来の姿が浮き彫りにされるようで嫌な気分だが、変装としては優秀といえる。十人並みが懸命に背伸びして一張羅を羽織った梨沙しか知らない寺本なら、一瞬見ただけでは気づかない。これから週末は、この姿で出勤しよう。

梨沙はベッドサイドに戻り、チューハイ片手にスマートフォンを操作した。

液晶画面に開かれているのは、不動産情報サイトだった。画面にはすでに検索結果が表示されている。検索条件は川越市内で家賃五万円以下の、ペット飼育可物件。七十件近くの物件がヒットしていた。意外にあるものだなと思って見てみたら、複数の業者が同じ物件の広告を出しているケースも多く、また『ペット相談』を謳っていても、猫なら可とか、小型犬なら可というものを除外していったら、候補はほとんど残らなかった。覚悟していた通り、駅から離れた交通の便が悪い場所の、築数十年の古い物件ばかりだ。それでもコロンと一緒に住める場所があるだけ、ありがたいのかもしれない。

ふと思う。川越市にこだわる必要は、ないのではないか。なんとなくいま住んでいる場所の近くを考えていたが、家庭訪問さえ乗り越えてしまえば、あとはどこに住もうと問題はない。むしろ、寺本とばったり出くわすリスクを考えれば、川越を出たほうが安心だ。それでも六本木在住という設定がある以上、都心へのアクセスを犠牲にできないので、やはり埼玉、千葉、神奈川あたりが候補だろうか。

だけど遠くに越してしまえば、いまの職場に通えない。

脳裏をよぎった考えを、かぶりを振って打ち消した。どうしていまの職場にこだわる必要があるんだ。成功者になるのだから、当然いまの仕事は辞める。これまでのままならない人生は、なかったことにする。ぜんぶ捨てる。

いいかもしれない。まったく知らない土地で心機一転。新しい自分を始める。犬とともに。

ためしに検索範囲を広げると、候補の数もぐっと増えた。どこに行ったってかまわない。そう考えると、なんだかわくわくしてくる。夢中で物件情報に見入った。

ふいに、寺本のくれた犬用砂肝ジャーキーが目に入る。砂肝ジャーキーというからには、人間が食べられないわけではないだろう。見た目も酒のつまみっぽい。

袋を破いてジャーキーを一切れ取り出し、かぶりついてみた。あまりの硬さで、視界に火花が散った。水分でふやけさせてみたらどうかと思い、しばらくしゃぶってみたが、いっこうに咬(か)み切れる硬さにはならなかった。味もしないし、とても食えたものではない。

ふいに笑いがこみ上げた。いったい自分は、なにをやっているんだ。

声を上げて笑った。思い切り笑ったのは、久しぶりな気がした。

笑い声は次第に大きくなり、足をばたつかせながら腹を抱えて笑った。しまいには目の端から涙の筋が頬を伝った。

そのとき、スマートフォンが振動し、画面にポップアップ通知が表示された。ＳＮＳにコメントがついたことを知らせる通知だった。

ポップアップをタップすると、ＳＮＳが開かれ、該当のコメントが表示された。

——このマンガ、『たらちね先生』という方が連載している『もふもふ日記』というマンガの中で紹介されていたのとほぼ同じ内容なんですが、パクリじゃないですか？　ワンちゃんの行動だけならともかく、飼い主さんの心の声まで一緒って、普通ありえないですよね。

一瞬で心が冷えた。

設定画面でコメントを残したユーザーのアカウントを検索し、ブロックした。

4

真鍋による家庭訪問の日になった。約束は午後二時だが、なにか不測の事態が起こるとも限らない。一時間前には中岡宅に入るつもりで、自宅アパートを出た。

自転車を駅前の駐輪場に入れ、中岡の家まで歩く。

中岡宅が見えてきた。歩く速度を落としながら、周囲にひと気がないのを確認する。タイミングを見計らって早足になり、門扉を開いて敷地内に入った。しゃがみ込んで隅のほうに置かれた植木鉢に向かう。

両手で植木鉢を持ち上げ、自分の目を疑った。

ない。

そこにあったはずの鍵が、なくなっている。鉢の底面にくっついているのかと思い、覗き込んでみたものの、やはりなにもなかった。周辺の土の上を手で探ってみても、金属の感触はない。記憶違いだろうかと思い、玄関扉横の植木鉢やプランターの下を確認してみたが、なにも見つからなかった。

途方に暮れ、塀に背をもたせかける。

誰かが鍵を移動させたのだ。たとえば、中岡から頼まれて私物を取りに来て、植木鉢の下の合鍵を使用して中に入ったものの、そのまま持ち去った。あんなところに置きっぱなしにしていたら不用心だよと、病室の中岡に手渡した。

スマートフォンでメッセージアプリを開く。真鍋とのメッセージのやりとりを液晶画面に表示させた。

——おはようございます。今日は家庭訪問ですが、予定通りおうかがいして大丈夫ですか？

梨沙の返信はこうだ。

——おはようございます。もちろん大丈夫です。よろしくお願いします。

二分後に、真鍋から返信があった。

——こちらこそよろしくお願いします。では午後二時にうかがいます。車でうかがおうと思いますが、近くに駐車場はありますか？

——うちから二〇〇メートルほど離れたところにコインパーキングがあります。そちらをご利用ください。地図を添付します。道に迷うといけないので笑、私は二時前になったらコインパーキングの前で待っていますね。

――ご丁寧にありがとうございます。迷うことはないと思うので笑、そこまでしていただかなくても平気です。今日はコロンちゃんも同行してみようと思いますが、かまいませんか？

――もちろんです！　コロンに会えるのを楽しみにしています！

どうする。急遽（きゅうきょ）体調を崩したなどの口実で、日程変更を申し出るか。しかし合鍵を誰かが持ち去ったのなら、日程を変更したところで意味がない。

どこかに引っ越した後で、あらためて家庭訪問を申し込むのはどうだろう。だったら紛れもない自分の住まいだし、後ろめたいことはなにもない。

しかし、梨沙は結婚していることになっている。引っ越し先の候補は、単身者向けの狭い物件がほとんどだ。地理的に遠く離れてしまえばそれなりに広い物件もないことはないが、夫が川越市役所に勤務しているという設定と矛盾が生じる。そもそもすでに新居への引っ越しを終えたと報告したのに、またすぐに別の場所に引っ越して、そちらのほうに家庭訪問に来てくださいと言われたところで、不信感しか抱かないだろう。家庭訪問以前の問題として譲渡を断られても不思議ではない。

万事休す。打つ手が見つからない。

とにかく真鍋に断りの連絡を入れるか。今朝メッセージをやりとりして急に体調不良になるのは不自然だから、身内に不幸があったなどの理由ならどうだろう。急がないと、真鍋が到着してしまう。

　メッセージを入力しようとして、はたと指を止める。窓かどこかから侵入できないか。

　立ち上がり、目の前にあった窓に手をかける。力をこめてもびくともしない。

　やはりダメか。しゃがみ込んだまま家の周囲を移動し、窓の戸締まりをたしかめた。側面の窓も、すべて施錠されている。

　やがて裏庭に達した。雨戸が下りた掃き出し窓の横に、スチール製の収納庫が置かれている。一縷の望みとともに雨戸を引き上げようとしたが、びくともしない。スチール製の収納庫を開いてみると、古いマンガ雑誌が詰まっているだけだった。ゲームにマンガ、意外な趣味だ。

　二階は、と思ったが、塀をよじのぼっているところを誰かに見られでもしたら、言い逃れしようがない。諦めるしかなさそうだ。

　正面玄関前に戻ってきた。最後に植木鉢をもう一度、持ち上げてみるが、さっきなかったものがそこにあるわけもない。

　――すみません。夫の祖母が危篤という連絡があったので、すぐに出なければなりません。家庭訪問はキャンセルさせてください。今後の予定については、あらためてご連絡します。

　こんな感じでいいだろう。メッセージの入力を終え、送信しようとしてから、やめる。まだ諦めきれない。

　玄関扉のノブに手をかけ、手首をひねってみた。

「えっ……」

驚きの声が漏れた。ノブが抵抗なく回転したのだ。引いてみると、扉が開いた。施錠されていない。

隙間から中を覗き込む。

この前忍び込んだときと変わらない。しかし植木鉢の下の合鍵はなくなっている。誰かいるかもしれない。

「こんにちは」

呼びかける声が震えた。反応はない。

「こんにちは。誰かいらっしゃいますか」

今度はもう少し声量を上げた。

梨沙の声が消えた後には、静寂が横たわっていた。

「誰もいらっしゃらないんですか」

後ろ手に扉を閉めながら、考える。

植木鉢の下の合鍵はなくなっている。玄関扉は施錠されていないから、何者かが合鍵を使用してこの家に立ち入ったのは間違いない。問題は、この家に立ち入った人間がいま、どこでなにをしているかだ。扉が施錠されていないから、てっきり家の中にいると思った。だが、人の気配は感じられない。

もしも誰かが戻ってくるのであれば、たとえば入院した中岡の世話のために、離れて暮らしていた子どもがしばらく滞在するなどであれば、なにか荷物があるのではないか。

梨沙は靴を脱ぎ、廊下に上がった。

「中岡さん。いらっしゃいませんか。鍵が開いていました。不用心ですよ」

言い訳めいた呼びかけが、沈黙に溶けて消える。いま、この家には誰もいないという確信を深めながら、手前の障子戸を開いた。

その瞬間、梨沙は声を上げそうになり、自分の口を手で覆う。

液晶テレビにテレビ台に家庭用ゲーム機に座卓に座椅子、信用金庫のカレンダー。この前来たときにあったものに、なにかが加わっている。それがなにかはわからない。かなり大きいもので、青いビニールシートで包まれて床に置かれていた。

やはり誰かがこの家を訪れたのだ。誰かはわからないが、植木鉢の下の合鍵で家に入り、この青いビニールシートにくるまれた謎の物体を残していった。

立ち去らなければ。

この青い物体を持ち込んだ、誰かが戻ってくる前に。

頭ではそう思っているのに、身体は正反対の動きをしていた。梨沙は居間に立ち入り、謎の物体に近づいた。

なにしろ異様だった。バッグやスーツケースではなく、ビニールシートだ。そんなものに私物を入れて持ち運ぶことは、普通ない。

それに大きさ。謎の物体は、小柄な人間一人ぶんくらいの大きさがある。それが八畳ほどしかない和室に横たわっているので、かなりの存在感だ。加えてかすかに生臭さが立ちこめているようなのは、気のせいだろうか。

これはいったい、なんだ。

ビニールシートには何か所かロープが巻き付けられ、ハムのようになっている。しかし乱雑にくるまれているので、ところどころめくれ上がっていた。そのめくれ上がった部分をつまんで、持ち上げてみる。

ひっ、と短い悲鳴を上げ、梨沙は尻餅をついた。そのままバタバタと後ずさる。

人間の頭髪が見えた気がしたのだ。

まさか、そんなはずが……。

恐る恐る近づき、ふたたびビニールシートをめくる。

今度は頭髪だけでなく、額から眉、目にかけての部分までがはっきり確認できた。

人間だ。

女性。年齢はたぶん六十代くらい。

目を閉じているが、眠っているわけでないのは、やや青白い皮膚の色からも明らかだ。異臭も気のせいではなかったのだろう。

死んでいる。

人間の死体が、ここにある。

意味がわからない。誰が、なんの目的でこの家に死体を運び込んだ？　そもそもこの女性は誰だ？

しばらく途方に暮れていた梨沙だったが、ふと我に返ってスマートフォンを手にした。

『1』、『1』、『0』――。

あとは『発信』をタップするだけというところで、指の動きが止まる。

警察に通報するのが、圧倒的に正しい対応なのは、疑いの余地がない。

しかしそれで私になんの得がある？

不法侵入の罪に問われ、コロンの譲渡話が白紙になるだけだ。

そしてバカ正直に通報したところで、いまやただの物体と化したこの女が、生き返るわけでもない。

念のため、ビニールシートをめくって女の肌に触れてみた。冷たい。とても人間の肌に触れている感覚ではない。頸動脈（けいどうみゃく）に指をあてても脈は感じられないし、鼻と口からは息が吐き出されていない。専門家ではないが、この女がとっくに死んでいて、蘇生の見込みがないことぐらいはわかる。死後、それなりに時間が経っているのだ。

梨沙は立ち上がり、ほかの部屋を見て回った。一階の二部屋、台所、浴室、洗面所、トイレ、二階の二部屋まですべて見て回ったが、ひと気はない。

死体のある居間に戻ってきた。最初は恐ろしくて仕方なかったが、なにごとも慣れるものだ。いまでは震えも収まって、精神的にも落ち着いている。

気持ちの整理をつけて、決意を固めた。

この死体を隠して、家庭訪問を乗り切る。

家庭訪問といっても隅々まで家捜しするわけではないし、長くてもせいぜい一時間程度だろう。その時間さえ乗り切れば、もうこの家を訪れることも、近づくことすらない。

そうと決まれば、次なる問題は、死体をどこに隠すか。

寝室に移動し、押し入れを開けた。布団は一組だけだが、ほかのスペースには衣装ケースが詰め込まれており、死体を隠せるような隙間はない。

二階の部屋まで死体を運ぶ腕力はないし、台所に隠せそうな場所はない。

となると、浴室か。

磨り(す)ガラスの扉を開き、浴室を覗いた。

独立した脱衣所はなく、入ってすぐタイルの洗い場になっていた。足もとに敷いてある簀の子(すのこ)が、簡易的な脱衣所のようだ。青いタイルにシルバーの浴槽、隅のほうには洗い桶(おけ)と風呂椅子、石けんがまとめてある。

梨沙はまず、簀の子を持ち上げ、壁に立てかけた。

それから居間にとって返し、死体の足のほうのブルーシートの端を両手で握り、引っ張る。死体はびくともしない。小柄な女性だと思って甘く見ていた。両足を踏ん張り、腰を入れて全体重を後ろにかける。

すると手の中でブルーシートが滑り、尻餅をついた。やはり死体に直接触れずに移動させるのは、難しいようだ。

両肩を上下させ、深く息を吐く。

意を決して死体の両足首をつかんだ。

ざらりとした産毛の感触を手の平に感じて、胃の中のものをぶちまけそうになる。しかしいま、手を離すわけにはいかない。嫌悪感を飲み下し、重心を落として腹に力をこめた。

懸命に引っ張っていると、やがてずるりと動き出し、そこからは比較的スムーズだった。それでも足を持って廊下に死体を引っ張り出したときには、すでに全身汗みずくになっていた。白いブラウスが肌にへばりついている。

梨沙は玄関扉に鍵をかけ、服を脱いで全裸になった。思った以上の重労働だし、この作業で服が汚れてしまっても替えはない。

作業に復帰した。廊下は滑りがいいので、比較的楽だ。それほど力を入れなくても、死体が動いてくれる。

だが廊下と浴室の間にある低い段差がくせものだった。おまけに廊下の横幅よりも死体の身長のほうがあるので、死体の関節を曲げないと浴室に入らない。最初は抵抗があったが、ビクついている余裕はない。作業に没頭するあまり、ビニールシート越しに死体を抱きしめるようになるまでに、それほど時間はかからなかった。

死体の下半身が浴室、上半身が廊下というところまで持ってきた。あと一息だ。浴室に入って死体の足首を持ち、思い切り引っ張る。しかし三センチ程度の小さな段差が越えられない。ビニールシートに巻き付けられたロープが、段差に引っかかっているのだ。

死体の足を高く持ち上げ、肩に担ぐようにして段差を乗り越えようとする。だが持ち上がるのは足だけで、腰から上は持ち上がらない。

それでも強引に引っ張ると、ロープがほどけてブルーシートがはだけた。

「うわっ」と梨沙が声を上げたのは、ワンピースを着た死体の胸もとが、どす黒く血で汚れていたからだけではない。ブルーシートから正体不明の液体が、廊下に流れ出したのだった。

血液だろうか、排泄物だろうか。強烈な異臭が広がる。

「なんなの！　もう！」

物言わぬ死体を叱責する。なんであんたは、こんなところで死んでるんだ。蹴り上げようとして、すんでのところで思い留まった。

一人で地団駄を踏みながら死体を浴室内に引っ張り込み、廊下に出る。服を脱いでいて本当によかった。こんな液体が付着したら、ちょっとやそっとじゃ臭いが取れない。とてもではないが、そのまま真鍋に会うことなどできなかった。

液体を踏まないようにしながら、寝室に向かう。押し入れの衣装ケースからバスタオルを何枚か取り出して戻った。

液だまりにかぶせるように置くと、バスタオルが一瞬にして黒く染まる。たっぷりと液体を含んだバスタオルを、浴槽に投げ込んだ。残ったバスタオルで廊下を拭き上げる。最初は強烈な臭いに鼻が曲がりそうだったのに、いまでは嗅覚が麻痺して臭いを感じない。

廊下を拭き上げるのに、四枚のバスタオルをダメにした。すべてまとめて浴槽に放り込み、巻き取り式の蓋をかぶせる。

浴室に入り、死体を避けながら歩いてシャワーヘッドを手にした。蛇口を全開にして水を出し、浴室内にたまっていた液体を排水口に流していく。

これでひとまず大丈夫だと思うが、臭いが残っているかもしれない。念のために石けんを全身にすり込む。

湯で全身を流しながら、あまりの奇妙さと滑稽さにおかしくなってくる。赤の他人の家で、誰かわからない死体と一緒に浴室に入り、シャワーを浴びているのだ。

浴室を出て綺麗なバスタオルで身体を拭き上げ、服を着た。家じゅうに臭いがこもっている気がして、窓を開ける。しかしすぐに閉めた。隣家から子どもの声が聞こえてきたのだ。家の中を覗かれない程度に、窓という窓を少しずつ開けていくことにした。

なにか臭い消しになるものはないかと、家じゅうを探して回る。

台所の食器棚にコーヒー豆の袋を見つけた。コーヒーかすは臭い消しになる。湯を沸かし、ドリップポットでコーヒーを淹れた後で、抽出かすの入ったフィルターを廊下に立てかけて置く。

最後にすべての部屋の様子を確認し、家庭訪問の準備が完了した。

もうすぐ約束の時間だ。スマートフォンの液晶画面には、『いま神田さんのお宅でコロンちゃんをピックアップしました。これから向かいます』という真鍋からのメッセージが届いていた。

玄関の鍵を開け、外に出る。

すると、門扉の外にコロンを連れた真鍋が立っていた。ちょうど着いたところのようだ。間一髪だった。じわりと背中が湿り気を帯びる。

同時に、間にあった、やり遂げたという、不思議な達成感もあった。

しかし気を抜くな。本番はこれからだ。

「こんにちは」

笑顔を浮かべる真鍋の横で、コロンが尻尾を振っていた。

5

「少しぬるくなっているかもしれませんが」

梨沙が座卓に置いたカップには、先ほど淹れたコーヒーが入っている。食器棚には揃（そろ）いのカップが見つからなかったので、梨沙のはマグカップだ。

「いえ。おかまいなく」

カップを手にした真鍋が、部屋の中を見回した。その視線の先に変なものがあるのではないかと、つい視線を辿（たど）ってしまう。

「市役所勤務って、お忙しいんですね」

「真鍋さんにくれぐれもよろしくと申していました」

二人は中岡宅の居間で、座卓についていた。

真鍋を家に上げるなり、梨沙はまず夫の不在を詫びた。今日こそ同席するつもりで有給休暇を取得していたのに、急な呼び出しが入って出勤することになったと説明したのだ。

「あくまで時期的なものです。いつもこうというわけではありません」

「それならいいんですが、犬は元来、群れで生活する動物なので、お留守番はストレスになります。お留守番が上手とか苦手とか言われますけど、そもそもお留守番が好きな子はいません。お留守番が上手なのではなくて、我慢強いだけなんです」

「わかっています」

「小筆さんの場合は奥さまが在宅仕事ですから、旦那さまが忙しくてもお留守番が長時間に及ぶということはないのかもしれません。ですが、奥さまだって外出の必要がないわけではないでしょうから、少し気にはなりますね」

まずは失点1といったところか。内心で舌打ちをする。

「やっぱり少し緊張していますね」

部屋の匂いを嗅ぎ回るコロンを眺めながら、真鍋が言う。

「慣れてくれるでしょうか」

梨沙は訊いた。

「時間はかかります。でも、きちんと愛情を持って接していれば、いつか伝わりますよ」

どこかで聞いたような台詞だと思ったが、寺本だ。人間がなにを言っているか理解していると か、愛情が伝わるだとか、愛犬家にはおめでたい考え方をする人間が多いのか。人間同士だって まともにわかり合えやしないのに。

「それに、これぐらい家が広いと、コロンちゃんもストレスを感じなくてよさそうです。二階もあるんですよね」

「ええ。ほとんど物置になっていますけど」

「その奥も？」

真鍋が寝室につながる障子戸を顎でしゃくる。

「この部屋と同じくらいの広さの和室です。寝室として使用しています」

「ということは、コロンちゃんもそこで寝ることになるんでしょうか」

「はい」

なにも考えていなかったが、反射的に頷いた。

「見せていただくことは可能ですか」

遠慮がちな申し出だが、断って心証を悪くしたくない。

「もちろん。どうぞ」

立ち上がり、寝室の障子戸を開いた。

二人を追い越すように、コロンが部屋に入って探検を開始した。部屋の角から角へと、匂いを嗅ぎながら歩く。

真鍋はうんうんと頷きながら部屋を見回していた。

「ベッドではなくて、お布団なんですね。この広さなら、サークルを設置するスペースも作れそうです」

飼育環境を頭の中でシミュレートしているらしく、真鍋が壁際で両手を広げ、ペットサークルの大きさを表現する。

「ね、コロンちゃん。ここにコロンちゃんのベッドを置いて……」

コロンのほうに顔をひねった真鍋が、怪訝（けげん）そうに首をかしげた。

なにげなく真鍋の視線を辿った梨沙は、心臓が止まりそうになる。

畳の上に、黒い液体が飛び散っていた。ビニールシートから流れ出た体液の一部だろう。

「コロンちゃん！　粗相しちゃったの？」

真鍋の叱責に、コロンはなにを言われているのか理解できないという雰囲気で首をかしげた。

「すみません。トイレのしつけはできていて、失敗することはほとんどないんですが」

「いいえ。平気です」

歩み寄ろうとする真鍋を手で制し、押し入れを開ける。収納からバスタオルを取り出し、液体に押しつけて拭き取った。梨沙の躊躇（ちゅうちょ）ない行動に、真鍋は気圧（けお）されたようだった。唖然（あぜん）としながら、梨沙が汚れたバスタオルを丸めるのを見ている。

「バスタオル。汚れちゃいましたね」

「洗えばいいだけですから」

バスタオルをさりげなく顔に近づける。反射的に顔を背けたくなるような臭い。ブルーシートから流れ出た液体で間違いない。

「いまの、なんだったんでしょう。おしっこでもウンチでもないし」

真鍋がバスタオルに手をのばそうとするのを、気づかないふりで背を向けた。

「なにか吐いたのかもしれません」

「そんな様子なかったけど」

「真鍋さんは気づいていないようでしたけど、私は見ましたよ、コロンちゃんが吐いているところ」

「そうですか」

　コロンから注意を逸らしたことを反省する気持ちと、吐く瞬間を見ていたのになぜこの女はなにも反応しなかったのだと訝る気持ちが入り交じったような、複雑な反応だった。

「コロンちゃん、吐いちゃったの？　大丈夫？　体調悪いの？　それともお腹空いちゃったかな？」

　しゃがみ込んでコロンに問いかけた後で、真鍋がこちらを向く。

「食事の間隔が空きすぎると、空腹で吐いちゃうことがあるんです。吐いたのは液体だけですか？　それとも固形物が交じっていましたか？」

　梨沙はちらりとバスタオルを確認し、わかりきった答えを返した。

「液体だけです。固形物は交じっていません」

「だったらお腹が空いて胃液を吐いてしまったのかな。でもコロンちゃん、神田さんちでもりもり朝ご飯食べたって聞いたけど。それからそんなに時間経っていないはずだよね。どうしちゃったの？」

「バスタオル、洗濯機に入れてきます」

しきりに首をひねる真鍋に背を向け、梨沙は廊下に出て浴室に向かった。

廊下を歩きながら、小さく頷く。先ほどまで充満していた異臭を、コーヒーの抽出かすが吸収してくれたようだ。壁の隅に立てかけていたフィルターを回収し、台所の流しに置いてから、あらためて浴室に向かった。

浴室の扉の磨りガラスに顔を近づけてみたが、中の様子はうかがえない。これなら扉を開けない限り、死体があることはわからない。

扉を開き、バスタオルを浴室内に放り投げた。ふわりと宙を舞ったバスタオルが、死体の上に落ちる。

かと思った瞬間、白い影がバスタオルに飛びついた。

バスタオルをくわえたコロンが、死体の腰に前脚を載せて振り返った。遊んでもらっていると思っているのか、褒めてくれと言わんばかりに、尻尾が大きく揺れている。

ひっ、と悲鳴を上げてしまい、慌てて口を手で塞ぐ。

「どうかなさいましたか」

寝室から顔を出した真鍋が、心配そうに歩み寄ってくる。

「おいでおいで、コロン。おいで、早く」

必死で手招きをすると、コロンはタオルをくわえたまま浴室から出てきた。

素早く扉を閉め、振り返る。

「なんでもありません。コロンがついてきているとは思わなかったので、びっくりしちゃって」

なにか見られただろうか。少し距離はあるものの、寝室から廊下に出ると、浴室の扉は視界に入る。梨沙の背中越しに死体の一部が見えたかもしれない。

「小筆さんが出ていくのにくっついて出て行ったから、てっきり気づいているのかと思っていました」

真鍋の笑顔を見る限りでは、異変に気づいていないようだ。

「そうだったの？　私にくっついてきたの？」

問いかけると、コロンは首をかしげた。

「コロンちゃん、小筆さんのことが好きみたいですね。すっかりなついてる」

真鍋が嬉しそうに目を細める。

ありがたいことだが、まずはバスタオルの回収だ。

「コロンちゃん。取ってきてくれてありがとう」

コロンの口からバスタオルを受け取ろうとするが、コロンは離さない。「ちょうだい」と引っ張ると、顔を激しく左右に振って抵抗された。たまらず梨沙が手を離すと、姿勢を低くして上目遣いでこちらを見てくる。

「遊んでもらっているると思っているみたい。奪ってみろって言ってるんです」

いまそういう戯(たわむ)れは勘弁してくれ。

梨沙はふたたびバスタオルをつかんだ。コロンが激しく抵抗する。

「こら、コロンちゃん。いい加減にしなさい。それは玩具(おもちゃ)じゃないの」

見かねた真鍋がコロンからバスタオルを取り返してくれた。

「ありがとうございます」

真鍋はいったん梨沙に渡そうとしたバスタオルを自分のもとに引き寄せると、鼻を寄せてくんくんと臭いを嗅いだ。真鍋自身が犬になったかのようだ。梨沙は生きた心地がしない。

「どうかしましたか」

「なんだか、変な臭いがするんです」

真鍋は眉根を寄せてバスタオルの臭いを嗅いでは、首をかしげるという動作を何度か繰り返した。

やがてコロンに視線を向ける。

「コロンちゃん、やっぱりちょっと体調がおかしいんじゃないの。犬の胃液って、ここまで強烈な臭いじゃないもの」

「そうなんですか」

そもそも胃液ではない。磨りガラス一枚隔てた浴室に、その臭いの源がある。

もし気づかれたらどうする？　真鍋は間違いなく警察に通報する。死体の女を殺した犯人は梨沙だと考えるだろう。どう説明すれば誤解を解けるか。たぶん無理だ。自分が真鍋の立場でも、目の前にいる女が人殺しだと思う。保護犬を手に入れるために他人の家に侵入し、そこにあった死体を浴室に隠したとありのままの事実を話しても、信じてもらえるわけがない。警察だって同じはずで、最初から梨沙を殺人犯と決めつけて捜査するだろう。きちんと順序立てて説明すればわかってもらえるなんて甘いことを考えていたら、冤罪（えんざい）なんて生まれないのだ。

真鍋に通報させてはいけない。

真鍋を口止めするか？

そんなことが、私にできるのか。

梨沙の葛藤をよそに、真鍋はあっさりとバスタオルを差し出してきた。

「本当にごめんなさい。これじゃ、洗濯したぐらいじゃ臭いが取れないかも」

「いいんです。気にしないでください」

「健康ならこんなに臭くないんです」

コロンを弁護する口調だ。濡れ衣（ぬれぎぬ）を着せられたコロンは、不思議そうに真鍋を見上げていた。

「部屋に戻っていらしてください」

わかりました、と頷いた真鍋が、思い直したようにこちらを見る。

「お手洗い、お借りしても？」

「どうぞ。そちらです」

「ありがとうございます。ではお借りします」

トイレの扉を開け閉めする音がして、梨沙は安堵の息を吐いた。

こちらを見上げるコロンは、また引っ張りっこをして遊んでくれるのかという感じで、期待に満ちた目をしている。

なにしてくれてんの。心臓が止まるかと思ったじゃない。

梨沙はコロンを睨みつけ、わずかに開けた浴室の扉の隙間にバスタオルを投げ込んだ。居間に向かうと、コロンも嬉しそうについてくる。

畳に腰をおろした。コロンはこちらに背中を向け、お尻を梨沙の腰の部分にくっつけるようにして座る。背中を撫でてくれということだろうか。勝手に解釈し、背中を撫でてみる。

思ったより毛は硬い。そして思ったより骨張っていて、思ったよりあたたかい。こうやって犬をきちんと撫でたのは、人生で初めてかもしれない。SNS上で作り上げた理想の自分は、犬中心に生活が回っているような愛犬家なのに。

コロンが顔だけをこちらに向ける。

触ってみてどんな感じ？　と訊ねられている気がした。

「意外に悪くない」

あれ？

もしかして私、いま、犬と会話した？

自分の意外な行動に驚いたそのとき、水を流す音がして、トイレの扉が開いた。真鍋の足音がこちらに近づいてくる。

しかし障子戸が開くことはない。戸惑うような気配がする。

まずい！

梨沙は慌てて立ち上がり、障子戸を開いた。

「どこに行くの！」

思わず怒鳴っていた。

真鍋は浴室の扉に手をかけた体勢のまま、ぎょっとした表情で顔だけをこちらに向けている。

「手を、洗おうかと……」

なぜこの女はヒステリックに怒鳴っているのかと、顔に書いてあった。

「洗面所はそこじゃなくて隣です」

「……ごめんなさい」

謝る真鍋の声は、怒鳴られたことに納得がいかない様子だった。

家庭訪問は三十分ほどで終わった。最後の最後に真鍋を怒鳴りつけるという失態を演じたが、感触はおおむね良好のようだ。トライアルに向けて準備を進めたいと思いますという言葉を、引き出すことができた。だが最後にこう釘(くぎ)を刺されもした。

「トライアル前に、一度でいいので旦那さまとお会いしたいです。保護犬をお迎えしたいというのは、もともと旦那さまのご意向のようですし、一度お話をうかがっておきたいです」

そう来たか。後日電話させますと伝えたが、電話ではなくどうしても直接会って面談したいという。「わかりました」と答えると、真鍋は満足そうに帰っていった。かねてよりの懸念だった夫問題を、このまま不在で誤魔化し通すことは難しいようだ。なにか作戦を練らないといけない。

梨沙は浴室の扉を開け、タイルの上で水浸しになった死体を見つめる。

ワンピースの胸もとがどす黒く染まっているのは、刃物で刺されたからだろうか。少なくとも自然死ではなさそうだ。だとしたら何者かがこの女を殺し、死体をこの家に運び込んだことになる。植木鉢の下の合鍵を使って。

誰が、なんの目的で。

そもそもこの女は誰？

普通に考えたら、中岡の仕業だろう。入院したというのは、あくまで後輩の木村からもたらされた情報だ。本人から直接聞いたわけではないし、本人がすべて事実を話すとも限らない。

と、いうことは――。

慌てて浴室の扉を閉め、靴を履いた。玄関扉を開け、人通りがないのを確認して外に出る。早足で遠ざかりながら周囲に視線を巡らせた。ひと気はないし、誰からも見られていないはずだ。

角を曲がったところで、梨沙は立ち止まった。胸に手をあて、大きく息を吐く。

中岡の入院という情報が事実でないのなら、鉢合わせしなかったのはたんなる幸運だったことになる。中岡はいつ帰宅するかわからない。まさにいま、帰ってくる可能性だってある。もし鉢合わせしたらどうするつもりだったんだ。いまさらながら、大それたことをしたものだと自分にあきれてしまう。

角から顔を覗かせ、中岡宅をうかがった。これからどうするのが正解だろう。

本来なら、死体を発見した時点で警察に通報するべきだった。あるいは、見なかったことにして立ち去っていれば、その後の対応に悩む必要もなかった。

しかし梨沙は死体を浴室に隠した上で、我が家を装って真鍋の家庭訪問を受け入れた。

いまからでも警察に通報するべきかもしれない。しかしそうすれば、梨沙自身も疑われる。誤認逮捕まではなくても、不法侵入の罪には問われる。真鍋のところにまで捜査の手がのびれば梨沙の嘘が明らかになり、コロンの譲渡話も白紙になる。

どこかの公衆電話から、匿名の通報をするとか？

ダメだ。あの家から死体が発見された時点でニュースになる。中岡宅の前に報道陣が集まり、死体の発見現場を前にレポーターが中継する。報道が真鍋の目に触れる可能性は高い。

匿名でも通報はできない。かといって、自分の手で死体をどうにかすることもできない。

このまま逃げる。目を瞑（つぶ）り、なかったことにする。中岡宅に侵入もしていないし、もちろん死体も見ていない。

どんなかたちであれ中岡宅から死体が発見された時点で、コロンの譲渡はなくなるのだから。

犯人はおそらく、あの死体を処分するつもりだった。だったら梨沙さえなにもしないでいれば、死体が発見されて大騒ぎになることもない。犯人は殺人の事実を隠蔽したいし、梨沙はコロンを手に入れたい。犯人の意を汲（く）むかたちになるのは癪（しゃく）だが、梨沙と犯人の利害が一致しているのは間違いない。梨沙が口を噤（つぐ）むことで、双方にとって望み通りの結果が得られる。

梨沙は周囲を見回した。

なにも見ていない。中岡宅を訪れていないし、侵入もしていないし、そもそも中岡の自宅の場所すら知らない。

駅に向かって歩き出した。

もう振り返らなかった。

6

天然パーマでなで肩の男が、探るような目つきで近づいてきた。

「リサ……さん、ですか」

「恭一（きょういち）、さん？」

梨沙は頬が引きつるのを感じた。こちらを意識しながら何度か目の前を通り過ぎているのには気づいていたが、この人であって欲しくないという思いから、視線を合わせずにいたのだ。

「よかった。人違いだったらどうしようかと思った」

恭一は安心したように、シャツの胸もとに手をあてる。にっこりと笑ったときに覗く乱杭歯が、生理的な嫌悪感の原因だろうか。ノータイのシャツにジャケットを羽織ってそれなりに小綺麗にしようという努力の跡はうかがえるが、サイズが合っていないせいで洗練とはほど遠い印象だった。

「行きましょう」と恭一に連れて行かれたのは、大宮駅近くのイタリアンだった。コースを予約してくれていたらしい。

「このお店、よくいらっしゃるんですか」

落ち着いて食事するというより、大人数で集まってわいわい騒ぐような大衆店のようだ。声を張り上げないと会話が聞こえないし、声を張り上げてもグループ客の騒ぎにかき消されてしまう。初デートでどうしてこの店にしたのか理解に苦しむ。

しかし恭一は褒められたと勘違いしたらしい。

「良い雰囲気でしょう？　どういうお店がいいかなって相談したら、友達がおすすめしてくれました」

類は友を呼ぶというが、その友達も女性に縁がないのではないか。

スパークリングワインで乾杯した後で、恭一が口を開く。

「マッチングアプリ、よく利用されるんですか」

「いいえ。初めてです」

「初めて？」と目を丸くされた。

「恭一さんは、これまで何人かと会われたんですか」

「いいえ。実は、女性と会うのは初めてです。アプリ自体はけっこう長いことやってるんですけど、なかなか会うまでは至らなくて」

それはそうだろう。四十代、低身長、職業アルバイト、おまけに容姿もすぐれているとはいえないのに、どうやって選んでもらうつもりだったのだろう。

前菜の皿が運ばれてきた。真鯛のカルパッチョだ。

「うわあ、美味しそう」

両手を合わせる梨沙を尻目に、恭一は店員に信じられない要求をした。

「お箸って、ありますか」

「箸でございますか」

店員も虚を突かれたようだ。だがそういう客もいないわけではないらしく、柔軟に応じる。

「かしこまりました。お持ちします」

「リサさんは、お箸使いますか」

「いいえ。私は」

勢いよくかぶりを振った。周囲の客の反応が気になり、肩をすぼめて小さくなる。

恭一は店員が持ってきた箸を使い、カルパッチョを美味(うま)い美味いといって平らげた。

「リサさんは、出版関係のお仕事でしたよね」

「ええ、まあ」

いまは嘘だが、さくらのマンガが書籍化されたら事実になる。

「実は僕も小説家を目指していて」

「そうなんですか」

「そうなんです。だからメッセージのやりとりをしていて、この人なら僕の仕事を理解してくれるかなって思いました」

「まだ、小説家ではないんですよね」

「ええ。でもいずれなります」

その自信はどこから来るのか。

「いまはなにをなさっているんですか」

「スーパーの鮮魚売り場で働いています。同僚が本当に嫌なやつばっかりで、かなりしんどいですけど」

「大変ですね」

「僕が小説家になりたいって言うと、小説家なんてそんな簡単になれるものじゃないとか、なれたところで食べていくのは厳しい世界じゃないかとか、足を引っ張るようなことを言われるんです」

「ああ」

なんと返していいものか。

当たり前の指摘だと思うが。

まあいい。そんなことより重要なのは、どうやって用件を切り出すか、どうやって協力を承諾させるかだ。

コロンの譲渡まであと一歩と迫ったが、真鍋はどうしても梨沙の夫と話したいらしい。夫と話して納得しないことには、コロンを渡してくれなさそうだ。しかし夫は実在しない。となると、誰かに夫を演じてもらうしかない。

身近に頼めそうな男はいない。恥を忍んで過去に付き合った男に何人か連絡してみたが、番号が変わっていたり、電話がつながらなかったりして空振りに終わった。そこで夫役をマッチングアプリで調達することを思いついたのだった。

交際相手を募集しているわけではないので、高スペックである必要はない。むしろ誰からも相手にされないような男ならすぐに会えるし、梨沙の頼みを聞いてくれる可能性が高い。

真鍋による家庭訪問を乗り切ったその日にアプリをダウンロードし、翌日には恭一とマッチング、その二日後にはこうして会っているのだから、便利な時代になったものだ。こんなに手軽に出会えるのなら、もっと早くに利用していればよかった。クリスマスまで二か月弱という時期も関係あるのだろうか。だとしたら手っ取り早くマッチングしたい梨沙にとっては幸運だが、くだらないことこの上ない。

それにしても――。

欠伸（あくび）をかみ殺しながら、さすがにもう少しハードルを上げてもよかったかもしれないと後悔した。選ばれない人間には、選ばれない理由がある。

女性から好かれない理由を自分のスペックのせいにしているが、この男が好まれない理由はそれだけではないと、実際に話してみて思う。恭一は自分の話しかしないし、その話の内容も退屈極まりない。なにより考え方が幼稚だ。

小説家を目指しているというが、小説を書き上げて新人賞に応募したりといった、目標を実現するための具体的な努力はしていないようだ。それなのに自己評価とプライドだけは高く、プロの作家のあの作品がつまらないとか、あんな駄作がなぜ売れているのか理解できないとか、あれぐらいなら自分の作品のほうがよほどおもしろいとまくし立てた。

他責思考は小説に留まらず、マッチングアプリについても、自分を選ばない女性は金や容姿、肩書きといった表層でしか人を判断できない薄っぺらな人間だと断じた。

「それはちょっと違うんじゃないですか」

議論するだけ不毛だとわかっていながら、つい反論してしまった。

恭一が、パスタを口に運ぼうとしていた箸の動きを止める。

「だってマッチングアプリって、そういうものじゃないですか。希望の条件で検索して、相手のプロフィールで判断する。希望の条件通りであっても性格が合わない可能性だってあるのに、あえて条件の悪い相手とマッチングする意味なんて、なくないですか。良いところも悪いところもすべて正直にさらけ出した上で、その上で自分を選んで欲しいって望むのは誠実なようでいて、実はすごく傲慢な姿勢だと思います」

「傲慢？　僕がですか」

恭一は信じられないという表情だ。

「ありのままを受け入れて欲しいっていうのは、相手に合わせて自分を変えるつもりはないってことですから」

「それなら相手に好かれるために、嘘をつくのが正しいってことですか」

「正しいとは言いませんけど、自然でしょう。人に好かれるため、自分をよく見せようとするのは」

「僕は自分自身を偽りたくない。そんなの、本当の自分じゃない」

「だったら他人に認めてもらえなくても、文句を言う資格はないと思います。なんの努力もしない自分を受け入れてもらえないからって、まわりが悪い、社会がおかしいっていうのは、とても自分勝手で甘えた考えです」

　恭一の顔は真っ赤になっていた。

　箸を皿に置き、こちらを睨みつけてくる。

「でも僕は人を騙したりしないぶん、あなたよりマシだ」

「騙していません」

「騙している。あなたを見た瞬間、騙されたと思った。あなた、プロフ写真とぜんぜん違うじゃないか」

「あれは私です」

「そんなのはわかってる。ただ、加工しすぎだ。プロフ写真はもっと顔がほっそりしていたし、目が大きかったし、肌が綺麗だった。あれじゃほとんど別人だ。写真とぜんぜん違うから、遠巻きに何度も確認しないといけなかった」

「私だって、写真と違うと思いました」

　言い返しながら、軽くショックを受けていた。たしかにアプリで写真を加工した。だが別人と見間違えるほど手を加えたとは思っていないし、加工なしでもそこまで落胆されるほどの容姿ではない。「アイドルみたいなお顔」と言われたことだってあるのに。

「僕は角度を工夫しただけだ。あなたの写真は、撮り方の問題じゃない。あんなのを載せるなんて詐欺だ。会った瞬間、外れだと思いましたよ。こんな人にご馳走しないといけないのは嫌だから、なんとか割り勘にできないかって」

目の前の男は、梨沙の評価では下の下だ。本来ならもっと高望みできるが、背に腹は代えられない状況から大幅に妥協したつもりだった。それなのに、お互いに会った瞬間、落胆していたというのか。どういう自己評価と審美眼をしていたらそうなるのか。

アイドル顔負けの容姿を持つ私が「会ってあげている」のに。

「バカにしないで。ご馳走してもらおうなんて、最初から考えていません。っていうか、一万超えのフレンチとかならともかく、たかだか一人四千円かそこらのコースでえらそうなことを言わないで欲しいです。そんなケチ臭いこと言ってるから、女性に相手にされないってことに気づいたほうがいいんじゃないですか」

四千円のコースを堪能していた周囲の客が、一斉にこちらを向く。

恭一は片側の頬を痙攣させていた。

「相手にされていないなんてことは、ない」

「なかなかマッチングしないって言ってましたよね。それってそういうことじゃないですか」

しばらくして、恭一がすとんと肩を落とした。

「あなたと会って、マッチングアプリをやめる決心がつきました。他人を上辺でしか判断できない空間だし、だからあなたみたいに上辺を取り繕う人しかいない」

「私は違う」

「どこがだよ」と、男の言葉から敬語が外れる。彼はスマートフォンを取り出した。

「あんたが詐欺ってるの、プロフの写真だけじゃないだろう。アメリカで生まれて父親の仕事の都合で子どものころは十四か国で過ごした帰国子女で、日本の名門女子大を卒業した後でオックスフォード留学、帰国後は出版関係の仕事をしながら、ときどき頼まれてモデルの仕事をしてる……どれだけプロフィールが渋滞してるんだ」

「私が嘘をついていると？」

「嘘じゃないっていうのか」

「嘘じゃありません」

けっ、と鼻で笑われた。

「そういう人間がいないとは言わない。マンガみたいな存在って、実際いるからな。だがあんたがそうだとは、とても思えない。モデルの仕事って……あんたみたいなちんちくりんがどういうモデルの仕事をこなせるのさ。ましてや頼まれてって……誰があんたにモデルを頼むんだよ、そのスタイルで、その顔で」

恭一の視線が、品定めするように梨沙の全身を這い回る。

梨沙は財布から寺本の名刺を取り出し、テーブルに置いた。

「なんだこれ」と、恭一が名刺を覗き込む。

「コミット出版の編集者の名刺。私、この人からミースタのマンガを書籍化したいって言われてるの」

名刺をとんとんとんと、人さし指で叩いた。

しばらく名刺を凝視していた恭一が、ふふっと肩を揺らす。

「あんた、騙されてるんじゃないの」

「騙されていない。毎週打ち合わせしている」

「この出版社、自費出版系で有名なところじゃないか。製作費を著者に負担させて、実際には本が本屋に並ぶことなんてないっていう」

「自費出版じゃない。そんな話はされていない」

「まだされていないってだけだろう。そのうちそういう話があるんじゃないか。賭けてもいい。僕は小説家を目指しているから、そういう話には詳しいんだ」

「目指しているだけで、本物の小説家じゃない」

そしてたぶん一生、小説家にはなれないくせに。

「こういうのはプロの小説家よりも、小説家志望のほうが詳しいんだ。自費出版系の出版社のカモって、小説家志望だからさ」

信じないならかまわないけど、勝手にやれば。恭一が椅子にふんぞり返る。

「信じない」

寺本が熱っぽく語ってくれた感想や、売り出しプランが嘘だなんて、信じたくない。

「だったら好きにすればいい」

「好きにする」

すると恭一があきれ返ったように虚空を見上げ、耳慣れない言葉を口にした。

梨沙が首をかしげると、「あれえ？」と恭一は嫌らしく唇の片端を持ち上げた。

「もしかしていまの聞き取れなかった？　英語で言ったんだけど。直訳すると、貧困が戸口に入ってきたら愛が窓から飛んでいく。日本でいう『金の切れ目が縁の切れ目』ということわざと同じ意味。聞き取れなかったなんてことは、ないよね？　だってオックスフォードに留学してたんだもんね」

顔から火を噴きそうだった。

7

【自費出版】コミット出版【意識高い系】

1　名無し

意識は高いが売り上げは高くない、結果にコミットしないことで有名なコミット出版について語りましょう

2　名無し

語る価値なし！　詐欺出版社

3　名無し

捕まってないだけの詐欺師

4　名無し
社長が全国各地で出版セミナーみたいなのやってカモ集めてるんだよね。詐欺師はマメ
5　名無し
ここってダメなの？　新人賞に原稿送って編集者から連絡もらったんだけど
6　名無し
＞＞5
たぶん全員連絡もらってる
7　名無し
＞＞5
新人賞の募集はしてるけどなぜか発表がない時点でお察し
8　名無し
＞＞7
発表はあるんじゃない？　かくれんぼなんとかって本、ここから出たんじゃなかった？
9　名無し
＞＞8
あれは賞とってない。コネ
10　名無し
モリゴーみたいな胡散臭（うさんくさ）い経営者の本出してる時点でマトモじゃないってわかるだろ

11　名無し
＞＞10
それなら日本の出版社はほぼマトモじゃないってことになる
12　名無し
＞＞11
その通りじゃねーか
13　名無し
でもたまにヒット作出てるよね。電車の広告とかも出してる
14　名無し
＞＞13
たまに出したヒット作を餌にカモを釣る　↓　カモから吸い上げた金でヒットを作る　↓　ヒット作を餌にカモを釣る　以下無限ループ
15　名無し
＞＞14
そのヒット作になればいいんだね
16　名無し
＞＞15
カモ発見

ブラウザを閉じ、梨沙はため息をついた。

ショッピングモールのドーナツショップのカウンター席で、壁に向かって座っている。もうすぐ午後三時になろうかという時間で、店内の席は半分ほど埋まっていた。

今日は平日なので、寺本に出くわす心配はない。だから変装もしていない。

だがそもそも、変装する必要はあるのだろうか。

マッチングアプリで会った恭一という小説家志望の男によれば、コミット出版は自費出版系の版元として業界では悪名高いらしい。自費出版という言葉ぐらいは聞いたことがあっても、興味がないのでよく知らなかった。恭一と別れた後で、自費出版について検索してみた。

てっきり出版したい人間が自分から依頼するものとばかり思っていたが、出版社側からアプローチするケースも少なくないようだ。それ以外にも新人賞で原稿を募り、落選したものの見所があるという評価を伝えて出版を持ちかけるような、詐欺まがいの商売が横行しているという。

コミット出版のホームページを見ると、モリゴーこと森山豪太郎のような有名人が本を出していたり、数十万部、中には百万部超えといったヒット作もある。

森山豪太郎のような、ほかの有名な出版社からも多数本を出している有名人が、自費出版をするとは思えない。だからコミット出版は自費出版以外のものも出している。普通の出版社のような、商業出版も行っているのだ。梨沙もそういうケースではないのか。

寺本は梨沙のマンガを褒めてくれた。エッセイマンガの実績がないので、小筆さんの作品を皮切りに市場を開拓していきたいと言ってくれた。あの言葉が嘘だとは思えないし、思いたくない。

きっとそうだ。自費出版ビジネスも行っていて業界的に評判の良いとはいえない会社だが、梨沙の作品については森山豪太郎と同じく、商業出版のルートで刊行するのだろう。だって寺本は、あのモリゴーを「今度ご紹介しましょうか」と言ってくれたのだ。あのときは突然すぎて反応できなかったが、ぜひお願いしますと即答していたら、どうなっていただろう。初対面の相手にまさか冗談ですとか、真に受けないでくださいとはぐらかすこともできないだろうし、いまでは森山豪太郎と顔見知りになっていたかもしれない。

私は違う。騙されてなんかいない。

寺本とは週に一度、打ち合わせを重ねている。そのたびにミースタにアップしたマンガの感想や、本が出た際に行う販促キャンペーンのアイデアを出してくれる。さくらへのお土産を持参してくれるし、いつかさくらに会える日を、本気で楽しみにしてくれているようだ。この前もネットにアップしたマンガの感想と、次回打ち合わせ予定のリマインドのメッセージをくれた。こんなに他人から気にかけてもらえた経験は、人生で初めてのことだ。交際した男たちですら、こんなにマメではなかった。

――詐欺師はマメ

さっき見た匿名掲示板の書き込みが、脳裏をよぎる。

ぎゅっと目を閉じ、見たくない現実から目を背けた。

もしも騙されていたとしたら。

いったいなんのために、あんなことをしたのか。

他人の家に侵入し、自宅を装って保護団体の家庭訪問を受け入れた。それだけではない。侵入した家には、見知らぬ女の死体が転がっていた。梨沙は居間に放置されていた死体を、浴室に移動させた。糞尿（ふんにょう）だか体液だか、よくわからない強烈な臭いの液体にまみれながら。

あの後、注視しているが、川越市内の民家から死体が見つかったという報道はない。まだ発見されていないだけなのか、それとも犯人がなんらかの方法で死体を処分したのか。

浴室に移動された死体を見て、犯人はどう思っただろう。きっと驚いただろう。死体が移動していたということはすなわち、犯人の犯罪行為を知る人間が存在するというメッセージにほかならないのだから。

犯人はやはり、中岡なのか。

中岡はそのうち店に現れるだろう。警察みたいに指紋やＤＮＡから身元を辿ったりはできないだろうから、なにごともなかったかのように接すればいい。しかし人を殺した相手に、笑顔で接することができるだろうか。接客態度の不自然さから、中岡がなにかを察することはないだろうか。

休憩時間が終わりに近づいてきた。

ショッピングモールを出て、店に帰る。

事務所に入ると、店長の徳永がデスクに向かっていた。

「お疲れさまです」

「お疲れさん。なに食べたの」

「ドーナツです」

「よく食べてるよね」

徳永が身体を起こし、椅子の背もたれに身を預ける。

「そうですね」

「好きなの」

「好きっていうか、食事に時間をかけたくないので」

「それはそうだろうけど、栄養のバランスなんかも考えたほうがいいんじゃない？　ちゃんと食べてる？」

余計なお世話だ。

「鍋でもどうだい」

梨沙は動きを止め、振り返った。徳永を見る目にたっぷりの軽蔑をこめる。

「駅前に豆乳鍋のお店ができたの、知ってるかい。池袋にあるお店の二号店らしいんだけど、美味しいんだって。みんなで行こうって、木村さんが……」

「私はけっこうです」

「どうして」

あんたに興味がないからだよ。

脱いだカーディガンをロッカーのハンガーにかける。

そそくさと事務所を出ようとしたとき、「そういえばさ」と呼び止められた。

まだなにかかるのか。

「さっき、警察の人が来て」

心臓がとくんと跳ねる。

「なにその顔、なにか悪いことでもしたの」

目を細められ、カチンときた。

「そんなわけありません」

「わかってるよ。冗談通じないな」

徳永が鼻白んだ様子で、デスクの上からＡ４の紙を差し出してくる。

「この人を見たことがないか……って」

視界がぐらりと揺れた。

Ａ４の用紙には、女性の顔写真が印刷されていた。

六十歳ぐらいの、痩せて頬のこけた女が、やや垂れたまぶた越しにこちらを見つめている。人相が悪く感じるが、背景が青く、証明写真から転載したような雰囲気なので、こんなものだろう。

その女の顔は、中岡の家で見た死体に、とてもよく似ていた。

第三章　詐欺師と犬

1

「あの、寺本さんに訊きたいことがあるんですが」

急にあらたまった梨沙の様子に、寺本が背筋をのばす。

「なんでしょう」

「私、出版業界のこと、ぜんぜん知らなかったんですが、知人に言われたんです」

「なにを……ですか？」

「コミット出版って、自費出版系？　の会社じゃないのって。そのうちお金を要求されるんじゃないか……って」

寺本がなにかを言いかけたように軽く口を開いたまま、固まった。どういう感情なのか、読み取りにくい表情だ。

六本木のカフェはいつも通り満席で、梨沙たちの席だけ、周囲の賑わいから取り残されたかのようだった。

「誰がそんなことを……？」

ようやく寺本が言葉を発した。

「創作仲間です」

「創作仲間……ですか」

そんな存在がいたのかと、意外そうだった。

寺本はおもむろに、持っていたフォークを皿に置いた。

「正直に申し上げますと、うちの会社の業界での評判は、あまり芳しいものではありません。読者ではなく著者を相手にした商売をしている、詐欺まがいの自費出版ビジネスだと批判されることも少なくありません。小筆さんに書籍化を打診する際も、うちの悪評がネックで断られる可能性もあるかもしれないと、覚悟していました」

観念したような息が挟まる。

「もしもうちのような会社から本を出すのが嫌だとおっしゃるなら、引き留めることはできません。私はぜひ、あのマンガを本にしたいと考えていますが、私自身が転職でもしない限り、コミット出版以外の会社から発売する手段は持っていませんから」

「いや。コミット出版が嫌だと言っているわけではありません。ただ、私自身が自費出版ビジネスのカモにされているのではないかと思っただけです」

最後のほうは早口になっていた。業界での出版社の評判なんて気にしないし、もともと知らなかった。騙されていないのであれば、業界での評判なんてどうでもいい。

「カモという言い方はしたくありませんが、仕事で自費出版の著者さんとかかわってはいます。ただその場合でも、最初に必要な経費の話はしています。後出しなんて不誠実なことはしません。もっとも、自費出版ビジネス自体が不誠実だと指摘されたら、否定できませんが」

自費出版ビジネスの是非などどうでもいい。どんな企業だって、多かれ少なかれ誰かから搾取しているものだろう。問題は、梨沙がその標的にされているのかどうかだ。

私は選ばれた人間なのか。

それともただの養分なのか。

その一点に尽きる。

梨沙自身が耳にしたことがなかったのだから、コミット出版の悪評もあくまで業界内でのものだろう。一般の人間には、自費出版と商業出版の違いなどわからない。出版社は出版社だ。

「よくわかりました。寺本さんを信じようと思います。コミット出版から、〈保護犬さくら、港区女子になる〉を出します」

神妙な顔で審判を待っていた寺本の表情が明るくなった。

「ありがとうございます」

「頭を上げてください。寺本さんはまったく悪くありません」

したり顔で業界の内幕話をしてきた恭一の顔を思い浮かべた。ずっとそんなふうに皮肉屋で、ありのままの自分を受け入れて欲しいと甘ったれたことを言っていればいい。自分から好かれようと努力しなければ、人から好かれることなんてないのだ。

「頑張って良い本にします。たくさんの読者に届けられるよう、良いプランを考えます」

「会社として自費出版ビジネスをやっているのは間違いないけど、私の場合は自費出版ではない、ということですね」

私は選ばれた人間なのですね。

念を押した。

「その通りです」

「後でお金を請求されても、出せませんよ」

「わかっています。ここの会計も私持ちですし……いや、正確には会社持ちか」

二人で笑った。

なんだ。一人で思い悩む必要なんてなかったじゃないか。

「安心したらお腹が空いてきました」

「コースで足りなければ、追加で注文してください」

寺本がメニューを手にする。

「寺本さんは、森山豪太郎さんも担当されているとおっしゃっていましたものね。森山さんは、自費出版なわけがありませんしね」

「当たり前です。モリゴーさんに自費出版なんか持ちかけたところで、足蹴にされて終わりです。小筆さんの場合は自費出版ではなく、モリゴーさんと同じルートです」

寺本を媒介にあのカリスマ起業家と同じレベルに立ったと思うと、気分が良い。

「そういえば最初にお会いしたとき、モリゴーさんと一席設けますというお話をしましたね」

「そうでしたっけ」

覚えていないふりをした。

「しましたよ。そんなに興味なさそうに流されてしまいましたけど」

「興味ないわけでは」

大ありだ。あまりにありすぎて、驚きのあまり反応が薄くなっただけだ。

「あの話、どうしましょう。モリゴーさんと話してみたいですか。あんなに有名なのにとても気さくな方だから、きっと楽しい時間を過ごせると思いますけど」

「いいですね。ぜひお願いします」

極力、声に喜色が滲まないよう心がけた。

「わかりました。じゃあ、いま連絡してみます」

「いま、ですか」

ぎょっとして顔を上げた。

「ええ。善は急げですから。延び延びになるのはよくないですし。『悩んでいるその一秒でライバルに遅れをとる』って、モリゴーさんの本にも書いてありますし」

「寺本さんは森山さんのことを尊敬しているんですね」

「著者さんのことは、皆さん尊敬しています」

失礼しますと断り、寺本は電話をかけ始めた。液晶画面をタップした後、スマートフォンを耳にあてて、しばらく待つ。

「もしもし。寺本です。いまよろしいでしょうか」

つながったらしい。にわかに緊張してきた。

「この前のあれですね。いやーお恥ずかしい。普段はあんなに酔っ払うことはないんですけど、油断してしまいました」

寺本の口調が砕けたものになり、気の置けない関係性がうかがえる。編集者と作家というのは、ここまで打ち解けるものなのか。自分にたいしては、まだ相当気を遣っているのかもしれない。

しばらく楽しげに会話した後で、寺本がこちらを一瞥（いちべつ）する。

「いま実は、著者さんと打ち合わせ中なんです。ほら、以前に話したさくらちゃんのマンガを描かれている方。そうそう、保護犬の。モリゴーさんが絶賛されていた、あのマンガです」

全身が熱くなる。自分のことを森山豪太郎に話していただけでなく、森山豪太郎が絶賛していた？

あのモリゴーが？

「少し話されますか。替わりますよ」

寺本からスマートフォンを受け取った。

「もしもし」

『もしもし。森山豪太郎です』

本物だ。男性にしては少し高い声で、自信満々な口調。テレビで見た話し方そのものだ。

「あの、小筆梨沙と申します」

『リサさんって、本名だったんですね』

自分の存在を認識してくれていた。興奮で気が遠くなりそうだ。

「そうです。本名の下の名前です」

『マンガ、いつも楽しく読ませていただいています。寺本からおもしろいって薦められて、最初は本当かなって半信半疑だったんだけど、読んでみたら本当におもしろくてすっかりハマっちゃいました』

「こ……こ、光栄です」

私も、と言いたかったが、寺本からもらった森山の著作は読んでいないし、彼の動画配信なども見ていない。こうなることがわかっていたら、しっかり予習してきたのに。

『そうだ。もし都合がつけばですけど、今度うちのオフィスにいらっしゃいませんか』

「オフィスに、ですか」

『ええ。せっかくなら一緒に食事できればいいんだけど、僕は分単位のスケジュールで動いているから、まとまった時間を作るとなると、けっこう先になってしまうんですよ。ですから食事の機会はあらためて設けるとして、オフィスに遊びに来ていただければ』

「ぜひお願いします」

『よかった。断られたらどうしようと思ったんだ』

断るはずがない。

『スケジュールは寺本と調整してください』

「わかりました」

スマートフォンを寺本に返しながら、梨沙は宙に浮いているような心地だった。

あのモリゴーが自分のマンガを「おもしろい」どころか「すっかりハマっちゃいました」と言

ってくれた。オフィスに招いてくれた。

おそらく、いまの自分は成功に片足をかけた状態なのだろう。このまま列車に乗り込むのか、転がり落ちるのか。のちに振り返ったらあのときが転機だったと思うような。

ぜったいにチャンスをつかんでやる。

そのために必要なのは、コロンだ。

なんとしても、どんな手を使っても手に入れなければ。

2

「――よくわかりました。お忙しい中、本当にありがとうございます」

真鍋が清々しい笑顔を浮かべる。

「いいえ。こちらこそ、何度も予定をキャンセルしてしまい、すみませんでした」

梨沙の隣で頭を下げるのは、徳永だ。

「とんでもないです。旦那さまの犬猫の保護活動への関心と理解が伝わってきて、とても有意義な時間になりました。小筆さん夫妻なら、きっとコロンちゃんを幸せにしてくれる。そう確信しました。つきましてはトライアルに移りたいと思います。神田さんのお宅までお迎えに来ていただくかたちで、よろしいですか」

「もちろんです」

笑顔で頷く徳永の演技力に、梨沙は内心で舌を巻いていた。

梨沙たちがいるのはラブワンコジャパン北越谷支部の施設だった。この前来たときにはケージの中で吠えていた犬たちが、いまは梨沙たちの周囲を自由に歩き回っている。こんなにたくさんの犬に囲まれた経験がなかったので恐ろしかったが、これから犬と暮らしていくのだから尻込みしていられない。

幸いなことに、徳永は犬好きだった。自身も昔、犬を飼っていたらしい。ペットゲートを乗り越えて施設内に入るや、しゃがみ込んで両手を広げ、犬たちから熱烈な歓迎を受けていた。

マッチングアプリで夫役を調達する計画は頓挫した。しかし夫への面談を行わないことには、真鍋はコロンの譲渡を承諾してくれない。

そこで思い出したのが、徳永の存在だった。スケベ面の中年男を夫として他人に紹介したくはなかったが、背に腹は代えられない。自分にたいする好意も利用できそうだ。

梨沙は徳永に協力を要請した。保護犬を引き取りたいのだが、単身者お断りという条件になっているため、夫役を演じて欲しい。先方には、夫は川越市役所勤務と伝えてある。

誰かになりすませって言うの？　それって大丈夫？　詐欺にならない？

徳永は最初、難色を示したものの、報酬を支払うという条件で、最終的には協力を承諾してくれた。

「どうもありがとうございました」

徳永の車の助手席に乗り込み、梨沙は礼を言った。

「いや、なんだかんだでおれも楽しかったよ」

徳永はエンジンを始動させ、駐車スペースから車をバックさせる。

「店長、犬、好きだったんですね」

床に大の字になり、犬たちから顔をなめ回されて嬉しそうにする姿を思い出した。コロンを手に入れたところで、自分があの域にまで到達できるとは思えない。

「飼ってたからね。いまも本当は飼いたいんだけど」

「飼わないんですか」

「うちの嫁さんが動物好きじゃないんだ。子どもは飼いたいって言ってるんだけど」

「は？」

梨沙が素っ頓狂な声を出すと、「え？」と首をかしげられた。

「なに？　おれ、なにか変なこと言った？」

「いや……なにも」

結婚していたのか。しかも子どもまで。

徳永のくせに。

真っ赤になった顔を見られたくなくて、梨沙は窓の外に目を向けた。

駐車場を出て、川越市方面に向かって走り出す。

「小筆さんは、どうして保護犬を引き取ろうと思ったの。どう見ても、犬好きには見えなかったけど」

それなりに犬の扱いに慣れてきたつもりでも、本物の愛犬家の目は誤魔化せない。真鍋がどうしても夫に会っておきたいとこだわるのは、当然だったのかもしれない。

車窓を流れる景色を眺めながら、もっともらしい理由を探した。

「死んだ祖父の家にいた犬に、とても似ているんです」

「コロン……だっけ。その子が？」

ちらりと徳永の視線がこちらを見る。

はい、と梨沙は頷いた。

「保護犬のサイトで見かけたとき、自分の目を疑いました。祖父の家で飼われていたポチと瓜二つ……ほとんど生き写しだったんです。私自身は犬を飼ったことがなかったけど、運命だと思って、衝動的に譲受を申し込んでしまいました」

ふうん、と呟いたきり、徳永は黙り込んだ。それきり話が終わったと思っていたら、前方の信号が赤になり、停車したタイミングで、口を開いた。

「よくないと思うけどな」

徳永がルームミラーにちらりと目をやり、言いにくそうに顎をかく。

「小筆さんの計画に協力してしまったおれにそんなこと言う資格はないけど、勝手に運命なんか感じて飼育に慣れていない人間が譲受を申し込むなんて、犬にとっちゃ迷惑でしかない。しかも単身者お断りという条件なのに、既婚を装って施設の人間を騙すなんて。お祖父(じい)ちゃんの犬と瓜二つといっても、コロンはその犬とは違う。犬を人間の思い出や感傷に浸るための道具にしたら、かわいそうだ。そんな人間の身勝手に振り回された結果、コロンはあの施設にいるんじゃないのかな。昔は人に飼われていたことがあるみたいだって、真鍋さん、言ってたよね。小筆さんがいっときの感情でコロンを迎えて、面倒を見切れなくなって手放したら、コロンは生涯で二度も人間に裏切られることに——」

「わかっています」と強い口調で遮った。

「私だって生半可な覚悟で譲受申込をしたわけじゃないし、コロンの面倒を終生みていくつもりです」

「でも小筆さん、一人暮らしだよね。いままで通りうちの店で働くとしたら、コロンはほとんどお留守番ってことに——」

「一人暮らしじゃありません。ルームメイトと暮らしています」

「そんな話、聞いたことないけど」

「話していませんから」

「ちなみに、ルームメイトはどんな人？」

「店長に言う必要ありません」

「本当にルームメイトと暮らしているのなら、おれに面倒くさい芝居をさせる必要なかったんじゃないかな」

　痛いところを突かれた。

　梨沙は窓の外を見る。

「真鍋さんに本当のことを言うんですか」

返事があるまで、少し考えるような間があった。

「言わない」

「私をホテルに誘う気ですか」

「は？」

あきれたような笑みの気配があった。

「どういうこと？　おれが、小筆さんをホテルに？　そういう下心で、引き受けたと思ったの」

「違うんですか」

「違う。見損なわないで欲しい」

「お金ですか」

「いらないよ、そんなの。小筆さんが月々いくら稼いでいるかは、おれがいちばんよくわかっている」

「ならなんで、引き受けたんですか」

梨沙には見返りもなく、他人のためになにかをする人間の意図が理解できない。渋る徳永を説得するために、必ずお礼はしますと約束した。だから引き受けたのではないのか。報酬目当てではないのか。

日ごろの徳永の態度から、報酬はすなわち金か肉体関係だと解釈した。金を要求されても応じるつもりだったが、これから引っ越しで物入りになる懐事情を考えると、ホテル一回で済ませられるほうがいいかもしれないとすら考えた。

だが徳永の狙いは金でも、肉体関係でもなかった。

「なんで……って」

徳永が困ったように呟く。

沈黙が訪れた。車のエンジン音だけが、低く響き続ける。

「これまですごく距離を感じていた小筆さんが頼ってきてくれたのが嬉しかったし、そんなに困っているのなら力になってあげたいと思った。じっくり話をする良い機会かもしれないとも思ったし。あと……」

「あとは？」

発言を整理するような沈黙があった。

「気を悪くしないで聞いて欲しいんだけど、犬ならいいかな、と思ったんだ」

梨沙は首をひねり、徳永の横顔を見た。ちらりとこちらを一瞥し、徳永が続ける。

「小筆さん、人間相手には自分を大きく見せようとしすぎるから」

「そんなこと……」

声をかぶせられた。

「財閥の血筋だとか、有名タレントと知り合いだとか、大学時代にミスキャンパスだったとか、東大合格したけど蹴ったとか、ぜんぶ嘘だよね。あと、さっき言ってたルームメイトとか、死んだお祖父(じい)ちゃんの犬の話も」

「本当です」

「その手も。本当は怪我なんかしていないでしょう」

ふいに息の詰まる感覚に襲われた。

遠い記憶が蘇る。

鬼のような形相の女が、梨沙に襲いかかってくる。鬼女は抵抗する梨沙の腕から、力ずくで包帯を剝ぎ取ろうとしているのだった。周囲を取り巻く制服姿のクラスメイトたちは、梨沙を救おうとしてくれない。ただ呆気にとられた様子で、鬼女と梨沙を見つめている。

梨沙の腕に巻かれていた包帯が、ついに鬼女の手に渡った。

鬼女は戦利品を高々と頭上に掲げる。

――ほら！　怪我なんかしていないじゃない！

その通りだ。嘘をついた。怪我していないのに、包帯を巻いて周囲の関心を買おうとした。母から肉体的な暴力を振るわれたことはない。でもきっと、精神的な虐待を受け続けていた。娘を虐待している疑いをかけられたからといって、普通の母親は学校に乗り込んでクラスメイトの前で娘の嘘を暴こうなんてしない。正しかったらなにをしてもいいというのか。自分の正しさを証明するためなら、誰を傷つけてもいいというのか。

徳永がなおも正しさを振りかざしてくる。

「日ごろからやたらと怪我や病気が多いし、仕事中見てても、あまり左手をかばっていないんだよね。それにその包帯、巻き方が上手くない。自分で巻いたものだ」

「違います」

呼吸が浅い。視界の端が白い。

しかしいま意識を失ったところで、都合の悪いことから逃れようとする芝居だと思われるのだろう。梨沙はシャツの胸もとをつかみ、呼吸に意識を集中する。

「うちの嫁さん、看護師なんだ」

胸に鋭い痛みが走り、顔をしかめる。

「どうしたの？　大丈夫？」

心配そうな徳永に、激しくかぶりを振った。

「なんでもない。平気です」

どうでもいいときには平気で嘘をつくのに、本当につらいときに虚勢を張ってしまう。素直に救いを求められない。

そんな自分が嫌になる。

深呼吸を続けていると、次第に楽になってきた。

「奥さんが看護師だったら、なんですか」

自分はいったい、なにと戦っているのか。

気遣わしげにこちらを何度か見ていた徳永も、大丈夫と判断したらしい。話題を戻す。

「プロの巻き方は見ればわかる」

「そんなに言うなら、傷口見てみますか」

包帯を外そうとしたが、徳永はなにも言わない。

もちろん、包帯を外すつもりなどなかった。

「本当でも嘘でもどっちでもいいんだけど、きみの血筋だとか肩書きだとか学歴だとか、有名人の知り合いは、きみの本質ではない。まわりのみんなが知りたいのは、本当のきみだ」

「まわりのみんなって誰ですか」

責める口調になった。

「悪かった。つい主語を大きくしてしまうのも、よくないな。訂正する。みんな、ではない。おれはそう感じている。本当のきみを見せて欲しいのに、きみはかたくなに自分を取り繕い、隠そうとする。だから壁を感じていた。いつもそうやって自分を大きく見せようとしながら生きるのは、すごく疲れるだろうと思っていた。だから、犬と生活するのは悪くないんじゃないか……って」

ごめん、言い方に気をつけようとしたけど、これだとやっぱり気を悪くするよね。徳永が気まずそうに肩をすくめる。

「私には犬がお似合いってことですか」

強気を装ったものの、声が震えていた。

「そういうことじゃなくてさ」

難しいな。徳永が歯がゆそうに首をひねる。

「犬って、剝き出しじゃないか。好きとか嫌いとか、嬉しい、悲しい、むかつく。ぜんぶ素直に表現する。人間がいくら取り繕おうとも、というかむしろ、取り繕う必要もないんだよね、駆け引きしないから。だから小筆さんの癒やしになってくれるんじゃないかって、そう思った」

「ずいぶん上から目線ですね」

「そうだよね。申し訳ない」

徳永が自分の頭をぽんぽんと叩く。

顔から火を噴きそうだった。なにかにつけて気にかけてくる徳永の態度を、好意だと思っていた。違ったというのか。食事や飲み会に誘うのも、体調を心配するのも、孤独な部下を哀れんでいただけだというのか。

自分が幸せだからって。

結婚して子どももいて、愛情に満ちた生活を送っているからって。

「バカにしないでください」

「すまない」

「謝らないで」

徳永が黙り込む。

「ホテルに行ってくれませんか」

「どうして」

笑いを含んだ声だった。

「信用できないからです」

「おれがいつ、真鍋さんに本当のことを打ち明けるかわからないから、取引しておきたいっていうのかい」

「そうです」

そしてホテルでこっそり音声を録音しておけば、下手な動きはできない。

「それはできない」

「なぜですか」

「結婚しているし、罠だってわかりきっているから」

「罠だとわかりきっていなかったら、誘いに乗っていましたか」

しばらく考えてから、徳永はかぶりを振った。

「ない。部下に手を出すと厄介なことになるし、小筆さんに異性としての魅力を感じていないから」

なんで腹が立つのか、自分でもわからない。徳永からの好意を迷惑に思っていたはずなのに。

「私に魅力を感じない？」

「少なくとも、異性としては見ていない」

ハンドルを握ったまま、徳永が鼻に皺を寄せる。

「そのへんのアイドルよりかわいいって、言われるんですけど」

「そうなの」

こちらを向いた横目で、梨沙の言葉を信じていないのがわかった。

「私が嘘をついているっていうんですか」

考える間があった。

「嘘だと思うけど――」

「嘘じゃありません。本当に言われたんです」

「そこは問題の本質じゃない。きみのことを魅力的だと思う人がいても、アイドルよりかわいいと思う人がいても、別にいいんだ。おれがきみに異性としての魅力を感じていないという事実は変わらないから。まわりがどう評価しようと、おれの評価は揺るがない。きみを異性として意識することはない。それだけの話だから」

「ホテルに行ってください」

横からハンドルを握ろうとして、徳永に肘で防御された。

「危ないじゃないか」

「ホテルに行って！」

「やめなさい」

「ホテルに……」

肩を押された。

「やめろって！　いい加減にしなさい！」

梨沙はぷいとそっぽを向いた。

「死にます」

後頭部に徳永の視線を感じる。「コロンを手に入れられなかったら、私、死にますから」

あきれきったようなため息が聞こえた。

「チクったりしないよ。その代わり、コロンをちゃんと幸せにしてあげてくれ。なんのために保護犬を引き取るのか、言いたくないなら言わなくていい。ただ、犬はかわいくてもアクセサリーやぬいぐるみではない。命だ。きみ次第で幸せな一生にも、不幸な一生にもなる」

「そんなの、わかっています」

ふたたび聞こえてきたため息は、さっきより諦めが強くなったようだった。

3

「着きました。こちらになります」

男がナビの画面に表示された地図を確認しながら、パーキングブレーキを引いた。

梨沙はシートベルトを外し、扉を開いて助手席から降りる。

こんなものか。昭和の遺構のような古びたマンションを見上げ、納得と諦めの入り交じったような気持ちが広がった。

運転席から降りてきた男が、脇に抱えていた二つ折りのバインダーを開く。そこに挟まれているのは、賃貸物件の情報が掲載された紙だった。男は不動産会社の社員で、坂口（さかぐち）という名前だった。明るい髪色が軽薄な印象だが、仕事ぶりは真面目そのもので、梨沙の出した条件に合う物件をいくつも見繕ってくれた。

二人が訪れているのは、その中の一軒だった。

埼玉県川口市、ＪＲ京浜東北線川口駅から徒歩十五分のマンション。四階建ての四階部分の、二間がつながった縦長の２Ｋという間取りの部屋だ。

写真で見たときにピカピカだったのは、カメラマンの腕がよかっただけのようだ。実物は築四十年なりのくたびれ方をしている。

「こちらの四〇一号室です」

坂口に案内され、階段をのぼった。四階なのにエレベーターもない。

室内も、外観の印象通りだった。風呂はいまどき珍しいガス釜式だし、トイレには温水洗浄便座もついていない。居室の床板には、湿気のせいか波打っている部分がある。

「いかがでしょう。さすがに設備は少し古いですが、駅から十五分でギリギリ徒歩圏内というのは魅力です。ペット飼育可物件で予算内だと、おおむねこんなものになるかと思います」

バルコニーから下を見下ろした後で、坂口が部屋に戻ってきて言った。風で乱れた髪型を気にしているのか、右手で前髪の毛束をつまむ。

梨沙は部屋を見回した。いまのワンルームよりも広くはなる。だが家賃そのままで広くなるのは、引き換えになにかを犠牲にするということだ。この場合の犠牲は、設備の古さだった。

「確認しておきますが、中型犬の飼育も可能なんですよね」

「大家さんに確認しました。大丈夫だそうです」

坂口が頷く。小型犬なら飼育可能でも、中型犬以上だとお断りという物件が多かったため、ネットの不動産情報サイトの検索結果以上に、選択の幅は狭められた。現況空室で即入居可となると、さらに少ない。

「坂口さんは、どう思われますか」

梨沙が訊ねると、坂口は困ったように眉を上下させた。

「条件にあてはまる中では、悪くないと思います。中型犬の飼育を許可してくださる大家さんは多くないし、敷金礼金ゼロで初期費用が抑えられるのも魅力です。ただ、ほかにも良い物件があるかもしれないので、小筆さんがほかも見てみたいとおっしゃるなら、お付き合いします」

「この部屋に決めます」

「いいんですか」

「かまいません」

「すぐに入居できるんですよね」

「ええ」

現実の暮らしを充実させる必要はない。実体化したさくらと暮らすことができれば、それでかまわない。

内見を早々に終え、車に乗り込んだ。これから不動産会社で入居申込書を提出し、大家による入居審査に二、三日。入居審査に合格したら、晴れて契約に至る。順調にいけば四、五日で新しい物件に引っ越し可能になるという話だった。

──コロンをちゃんと幸せにしてあげてくれ。

昨日からずっと、頭の片隅に徳永に言われたことが残っている。

──犬はかわいくてもアクセサリーやぬいぐるみではない。命だ。きみ次第で幸せな一生にも、不幸な一生にもなる。

綺麗ごとを。

たかが携帯電話販売店の店長風情が偉そうに。

思い出すだけでむかっ腹が立つ。

──犬ならいいかな、と思ったんだ。小筆さん、人間相手には自分を大きく見せようとしすぎるから。

バカにするな。

人間には相手にされていないみたいじゃないか。おまえの相手をしてくれるのは犬だけだ、とでも言うのか。

私を誰だと思っている。

ミースタで連載していたマンガに書籍化の打診を受けていて、あの森山豪太郎のオフィスにも招かれているほどの人間だ。あのモリゴーにだぞ。

これから私は、成功者になる。有名にもなる。本がベストセラーになり、動画チャンネルが人気になれば、徳永が一生かかって稼ぐ金額なんて一年で稼げる。人格者ぶって私に手を出そうとしなかったのを、あの男はいつかきっと後悔する。

梨沙の左手に、今日は包帯がなかった。周囲から気にかけてもらえるおまじないだったのに、徳永のせいで嫌なことを思い出してしまいそうだったからだ。

「いま、ワンちゃんはどちらに？　自宅でお留守番ですか」

坂口の声で、現実に引き戻された。

「はい」

「名前は？」

「さくらっていいます」

「さくら……という響きから察するに、女の子ですか」

「そうです。元保護犬の女の子です」

「保護犬というと、捨てられたりした犬ですか」

「捨てられて保健所で殺処分されそうになっていたのを保護施設が引き出したり、あとは廃業したブリーダーや、多頭飼育崩壊の現場から連れてこられた子たちです。さくらは保健所引き出しの子でした」

「そうなんだ。保護犬か」と、坂口が顎に手をあてる。

「どうかなさったんですか」

「実は私も犬を飼いたいと思っていて、何度かペットショップを覗いたりしているんです。保護犬というのも、アリかもしれないと思って」

「いいことだと思います」

「やっぱり保護犬だと、安く手に入るんですよね。捨てられてたりした子ですもんね」

元手ゼロってことだもんなと、坂口が口をすぼめる。

「ペットショップやブリーダーから購入するより安価な場合が多いですが、費用を安く上げたいから保護犬、という考え方には、あまり感心できません」

「ごめんなさい。変なことを言っちゃいましたね」

気まずそうに顔を歪められた。

「いいえ。かまいません。ただ、犬はかわいくてもアクセサリーやぬいぐるみではありませんから。大切な命なんです。飼い主次第で幸せな一生にも、不幸な一生にもなります。犬を迎え入れる際に保護犬という選択肢を考慮するのは良いことですが、軽い気持ちで飼っていずれ手放すようなことになるぐらいなら、最初から飼うべきではありません。一度お迎えしたら、終生飼育する覚悟を持っていただきたいし、その覚悟がある人だけ飼って欲しいと思います」

徳永から言われたことを、そのまま自分の言葉にした。

「すみませんでした。認識が甘かったです」

「私も少しきつく言い過ぎました。犬のこととなると、つい熱くなってしまいます」

「本当にお好きなんですね」

「ええ。実はさくらを主人公にしたマンガが、今度出版されるんです」

「本当ですか」

坂口が目を丸くした。「小筆さん、マンガ家さんだったんですか」

「本が出たら、そういう肩書きで呼ばれることになるんでしょうか」

「本が出るんですか」

「いま、刊行に向けて作業中です」

「すごいですね。私、マンガ家さんに人生で初めて会いました。後でサインもらってもいいですか」

「価値が出るかはわかりませんよ」

「出ますよ、きっと出ます。私も買いますし、会社の人間にも宣伝しておきます」

「ありがとうございます。よろしくお願いします。コミット出版って、ご存じですか」

「いや。出版社の名前とかは、詳しくないもので」

坂口が恐縮しながら頭をかく。

「森山豪太郎の本なんかを出している会社なんですけど」

「モリゴーさんですか？」

これまでいちばん大きな反応だった。

「ご存じですか」

「もちろんです。大好きです。本は読んだことないけど、ライブ配信はいつも見てます。私のコメントが読まれたこともあるんです」

「オフィスにお呼ばれして、今度会いに行きます。私のマンガの大ファンらしくって」

「マジですか！　小筆さん、すごい人だったんですね」

すげーすげーと、坂口が鼻息を荒くする。

ほら見たことかと、梨沙は思う。人は内面で判断されるのではない。どんな肩書きを持っていて、どんな交友関係を持っているかで、これほど反応が変わるのだ。自分を大きく見せようとしてなにが悪い。

スマートフォンを取り出し、液晶画面を確認する。ミースタに投稿した写真にコメントがついていた。

——さくらちゃんの背景に写ってる信号機、日本のじゃないですよね？　海外旅行に出かけたんですか？

内心で舌打ちした。そんな重箱の隅をつつくような真似をして、なにが楽しいんだ。

コメントを削除しようとして、ふと指の動きを止める。

削除は少し過敏かもしれない。これは指摘や追及でなく、たんなる質問だ。海外で撮影した写真ということにすればいい。

——そうです。昨年出かけたアメリカで撮影したものです。

コメントを投稿し、ミースタを閉じようとしたら、すぐさまコメント通知が来た。

——さくらちゃんを海外に連れて行ったのですか？

最初のコメントとは、別のアカウントからだった。

——はい。どこに行くにもさくらと一緒です♡

コメントを投稿すると、またすぐに返信がつく。

——飛行機だとワンちゃんは貨物扱いになってしまい、手荷物と一緒に貨物室に閉じ込められることになります。国内ならともかく海外へのフライトとなると、さくらちゃんにとっても相当な負担です。よく死亡事故が起こっているのはリサさんなら当然ご存じだと思いますが。

まったく知らなかった。犬を飛行機に乗せるときには貨物扱いになってしまうのか。だとしたら海外に頻繁に連れて行くという設定はよくない。

どうしようか考えていると、すぐにまた別のアカウントから返信があった。

——この人、たしか前にも犬を連れて海外に出かけたって投稿してたけど、フツーに虐待じゃないの？

——六本木のタワマン暮らしのセレブなあたしアピールすごいから、犬もアクセサリー感覚なんだろ。

——さくらに出会えて幸運だったってよく書いてるけど、さくらにとっては不運の極みだね。この人に飼われなければ、保護施設でのんびり暮らせていたわけだし、もっと犬のことを考えてくれる飼い主さんに出会えたかもしれない。犬を使って承認欲求を満たそうとしているようにしか見えない。

——セレブアピールマジウザい。前からこの人嫌いだった。

液晶画面に立て続けにコメント通知のポップアップが現れる。

「さすが、お忙しそうですね」

呑気(のんき)に感心する坂口の横で、梨沙は混乱していた。

どういうことだ。これまでは投稿しても、コメントが数日おきに一つつく程度だったのに、とんでもない勢いでコメントが増えている。しかもそのほとんどは、梨沙にたいして批判的な内容だ。それも最新の投稿内容についての批判だけではなく、以前から嫌いだったという、存在を全否定するようなものも少なくない。

――これってもしかして……炎上？

背中が冷たくなった。

コメント通知のポップアップが現れる。

――そもそも、この人、本当に犬飼ってるの？

思わず息を呑んだ。

4

「ちょっと、あなた、聞いてるの？」

目の前で手を振られ、梨沙は我に返った。

丸顔に丸い身体をした五十代ぐらいの女が、その見た目とは裏腹な剣呑(けんのん)な空気を放っている。

女はカウンター越しにスマートフォンを差し出してきた。

「壊れてるの。見てちょうだい」

「お預かりします」

たしかにえらく動作が遅い。なにか操作をするたびに数秒、ときには十数秒のラグがある。とはいえ、故障というほどではない。

原因はすぐにわかった。内部ストレージの空き容量がほとんどないのだ。メモリを圧迫している原因は、写真のようだ。

「松本（まつもと）さま」と、梨沙は女の名前を呼んだ。

「なに」

「画像データがメモリを圧迫しているようです」

「メモリってなに。わかるように言って」

とんとん、と勢いよくカウンターを指で叩かれた。

「写真の撮り過ぎです。写真のデータがいっぱいになって、ほかの動作をする余裕がなくなっています」

理解したらしい。松本が仏頂面で訊いてくる。

「どうしたらいいの」

「手っ取り早いのはいらない写真を削除することですが――」

「いらないのはないの」

声をかぶせられた。「どれも大事な写真なの」

スマートフォンを奪い取られた。

松本が液晶画面に小学生ぐらいの男の子の写真を表示させ、こちらに向けてくる。

「ほら、ほら」と、画面を人さし指で弾く。おそらく写真が切り替わっているはずだが、そうとわからないほど、似たような写真ばかりだった。連写したのを取捨選択せずにぜんぶ残しているらしい。こんなことをしていれば、どれだけメモリがあっても足りない。

「ね。うちの孫、どれもかわいいでしょう。削除なんかできない。いらない写真なんかないの」

まったくかわいくねーよ。こんなクソガキ。

もしかしてこの女、たんに孫の写真を見せびらかしに来ただけじゃないか。

疑いつつも、クラウドサービスを利用するか、外部メモリにデータを移行するかという解決策を提示した。「ただでさえ月々の料金は安くないのに、この上まだ金を取るのか」と文句を言いながらも、松本はクラウドサービスを契約していった。いくつかあるプランのうちいちばん安いプランだったので、あの調子だとクラウドがいっぱいになるのも時間の問題じゃないか。

やれやれと息を吐き、隣の席で客に新機種の案内をする徳永を見る。

あの後、徳永はなにもなかったかのように、いつも通りに接してきた。恩着せがましいことも、二人で秘密を共有するような目配せすらない。本当に見返りを求めていなかったということだろうが、梨沙はいまだに信じられない。徳永を信じられないというより、そんな人間が存在する事実が信じられない。

案内待ちの客は、いまのところいない。午前中からひっきりなしだった客足が、ようやく途絶えた。年寄りの客は朝早いぶん、引けも早い。

フェザーダスターを手にし、カウンターから売り場に出た。店内の商品にダスターをかけ、埃(ほこり)

を払っていく。
単純作業していると、いろいろなことを考えてしまう。

ミースタの炎上はひとまず落ち着いた。海外旅行に犬を頻繁に連れて行くのは虐待ではないか、という指摘にたいし、飛行機ではなく船で移動していると反論した。船で海外旅行するのに何日かかると思っているんだ、という指摘には反応していない。苦し紛れの言い訳だという自覚はある。貝になるしかなかった。

火消しが成功したとはいえない。にもかかわらず事態が沈静化したのは、おそらく糾弾する側が飽きたのだ。アンチの連中はたぶん、梨沙が反論し、ボロを出すのを待っていた。梨沙が口を閉ざしたので、つまらなくなったのだ。ひたすら粗探しをしたり、揚げ足をとって楽しむなんて、陰湿で哀れなやつらだ。

それにしても梨沙にとってショックだったのは、「もともと」嫌いだった、という声がいくつも上がったことだった。嫌いなのに、なぜ梨沙の投稿を見ていたのだろう。嫌いなら見なければいいのに。およそ五千人のフォロワーは、すべてがファンというわけではないらしい。だとしたら、五千人のうち何割がアンチなのだろうか。

さくらへの虐待疑惑は梨沙への個人攻撃にすり替わり、虚言の追及から、さくらの存在自体への疑念へとつながった。それについては、コロンを迎えれば解決する。コロンさえ手に入れられれば、いくらでもさくらの新しい写真をアップできる。一つの疑いを晴らすことで、ほかの疑惑についても濡れ衣という印象操作ができるだろう。

家庭訪問を乗り越え、徳永の協力で面談もクリアした。ペット飼育可の新居についても、大家の審査を通ったと、坂口から連絡があった。引っ越し業者も手配済みで、三日後には引っ越す。荷造りは面倒だが、一人暮らしでたいした荷物もないので順調に進んでいる。

あと一歩。

あと一歩で、さくらが実在の犬になる。スーパーの惣菜（そうざい）売り場で値引きシールが貼られるまで粘ったり、浴槽にペットボトルを浮かべて節水するようなしみったれた毎日ともおさらばだ。

ふいに青白い女の顔が脳裏をかすめ、はっとなった。

中岡宅で見つけた女の死体。行方不明らしく、警察が持ってきた情報提供を求める写真が、いまでも事務所のホワイトボードにマグネットで留めてある。そこに書かれた情報によれば、女の名前は飯田英子（いいだえいこ）。六十二歳。住所は茨城県牛久（うしく）市。そんな彼女を、なぜこのあたりの警察が捜しているのかというと、川越市内のパチンコ店の駐車場に、彼女の車が乗り捨ててあったためらしい。

茨城の牛久から車で川越までやってきて、中岡宅で殺されたのだろうか。

あの家で殺されたとは限らない。梨沙が発見したとき、死体はビニールシートに包まれていた。争った形跡や血痕などはなかったから、どこか別の場所で殺されて、中岡の家に運び込まれた可能性もある。

なぜ――考えないように意識しているが、完全に忘れ去るのは無理な話だった。つねに頭の片隅にこびり付いて離れない。報道もチェックしているが、中岡宅から死体が発見されたというニユースは、いまのところ見当たらない。このあたりで殺人事件なんてそう頻繁に起きるわけでもないので、報道を見落としていることもないはずだ。

あの死体はいま、どうなっているのだろう。まだ中岡の家に残されているとしたら近隣住民が臭いに気づくだろうから、すでに処分されたに違いない。

どうやって？

どこに？

誰が？

気になって仕方がない。だがもう一度、中岡宅を訪問するのも怖い。だからといって、警察に情報提供する勇気もない。

やはり忘れるしかないのだ。中岡の家には忍び込んでいない。だから死体を見てもいない。

「相変わらず仕事熱心だねえ」

聞き覚えのある声を背中で聞いて、全身が凍り付いた。

恐る恐る振り返る。

中岡が以前となんら変わらない様子で、にんまりと嬉しそうな顔をしていた。

「どうした。まるで幽霊を見るような顔をして」

梨沙にとっては幽霊を見た以上の衝撃だった。

「中岡さん。どうして……」

「どうしてって、退院してきたんだ。お祝いの一言ぐらい、かけてくれてもいいと思うんだがね」

「お、おめでとうございます」

「ありがとう」

「ご自宅にはもう、帰られたんですか」

怪訝そうに眉をひそめられた。

「変なことを訊くね。病院から直接この店に来たとでも？」

「いや……」

当たり前だが、退院した中岡は自宅に戻り、自宅からここに来た。

「しかし急に冷え込んだよな。今朝なんか吐く息が白くて驚いたよ。考えてみればもう十一月だもんな。今年もあと一か月ちょっとしかない。この前、年が明けたばかりだと思ってたのに。野田さんから聞いた話だと、北海道のほうじゃもう雪が降ったらしいぞ」

中岡が自分の腕を抱えこみ、二の腕をさする。

「いつ退院されたんですか」

「昨日だよ。いやー入院中は退屈で退屈で仕方がなかったわ。小筆さんがお見舞いに来てくれるかもと期待していたのに、来てくれなかったし」

愛想笑いしたいが、上手く笑える自信がない。

「なに。どうしたの」

心配そうに顔を近づけられ、反射的に後ずさった。

「おいおいおい。おれのこと忘れたわけじゃないよな」

「もちろん覚えています。お元気そうでよかったです」

どう訊ねればいいのだろう。自宅に帰ったとき、浴室に死体がありませんでしたか？　そんな質問、できるわけがない。梨沙は中岡の家の場所すら知らないことになっているのだ。

あるいは、飯田英子さんを殺しましたか――？

「もしかして来てくれたのかい」

息が詰まる。

バレた……？

そう思ったが、早とちりだった。

「見舞い」

「行かないです。行くわけがないです」

早口で否定すると、中岡が不満げに唇を曲げた。

「そんな言い方しなくてもいいじゃないか」

「ごめんなさい。そういう意味じゃなくて、入院先も知らないのに、お見舞いに行けるわけがないって言いたかったんです」

「あれ。おれ、入院先の病院の名前、言ってなかったっけな。小筆さんがいなかったから、若いお姉ちゃんに話したつもりだったんだけど」

「木村ですね」

「たしかそんな名前だった」

「中岡さんが入院するとは聞きましたけど、病院名までは聞いていません。こちらの伝達ミスかもしれません。申し訳ありませんでした」

「いやいや、そんなに謝ってくれなくてもいいよ。おれが言い忘れただけかもしれないし」

中岡は鷹揚に手を振った。

そして予想外の質問をぶつけてくる。

「ちなみにだけど、うちのほうにも来ていないよな？」

心臓が跳ねた。

「うち、というのは？」

「うちはうちだよ。おれの家」

「中岡さんの家に？　なんで私が？」

首をひねってとぼけながら、全身が心臓になったかのようだった。

「そうだよなあ」と、中岡が顎に手をあてる。

「野田さんが……野田さんってのは、隣の家に住んでいる爺さんな。その野田さんが、おれが入院中、おれの家から出てくる若い女を見たっていうからさ、そんなわけないだろうって言ったんだ。なにかの見間違えか、夢でも見たんじゃないかって。でも野田さんはぜったい違う、あんたの家から出てきたって言い張るんだよな。だったらセールスかなにかじゃないかって思ったけど、それも違うらしい。その女、犬を連れてたって言うんだ」

真鍋だ。梨沙が中岡宅に出入りする際には、周囲にひと気がないタイミングを見計らっていた。だがなにも知らない真鍋に、そんな要求はできない。おまけに犬連れとなれば、余計に人目につきやすくなる。

中岡が腕組みをしながら続ける。

「犬を連れてたっていうなら、たしかにセールスじゃない。でもおかしな話だろう？　うちには犬なんていないんだから、うちから犬を連れて出てくるっていうのが、そもそもありえない。だからきっとなにかの見間違えか、もしかしたらボケてきたんじゃないかって思ったんだよな。おれも人のこと言えるあれじゃないけど、野田さんもいい年だからさ。お互い一人暮らしの爺さんだし」

「それは、心配ですね」

懸命に平静を取り繕おうとしたが、声が波打った。

「心配だよ。野田さんはおれよりか若くて体力あるし、あと髪の毛も多いけど、こういうのって、また違うじゃない。身体は丈夫なのに頭のほうが……ってこともあるし。でも今日ここに来てみて、うちに来たのってもしかしたら、小筆さんだったのかなって思って、訊いてみたんだ」

「どうして私になるんですか」

そんな、バカバカしい。ありえない。

自分に言い聞かせながら、鼻で笑った。

「これ」と、中岡が存在しない眼鏡のつるを握る。梨沙の眼鏡のことを言っているらしい。

「野田さんによれば、うちから出てきた若い女は、犬を連れていて、眼鏡をかけていたって話だ。眼鏡をかけた若い女なんて知り合いにいないと思っていたが、小筆さんも眼鏡をかけることがあるんだと思って、それで思い出したんだ」

今日は日曜日だった。寺本が周辺をうろついている可能性があるので、眼鏡をかけている。

「普段はコンタクトだけど、気分転換でたまにかけるんです。でも、中岡さんの家から出てきたのは、私じゃありません」

梨沙は眼鏡を直しながら笑う。

「そらそうだよな。小筆さんは、犬飼ってないもんな」

「一人暮らしですから、飼いたくても飼えません」

「だよな。だったら、やっぱり、野田さんボケちまったのかな。それとも幽霊でも見たのかね」

「梅子ちゃんが帰ってきたのかもしれませんね」

「ありえない」

食い気味に否定された。

「梅子は死んだんだ」

「わかっています」

「死んだ犬は来ない」

「え、ええ」

だから梅子の幽霊だと言いたかったのだが。なにか地雷を踏んでしまったのだろうか。

中岡が腕組みで首をひねる。

「それにしても野田さん、心配だな」

「その野田さんという方も一人で暮らしていらっしゃるんですね」

「ああ。ずっと一人みたいだ。結婚寸前までいった女がいたけど、直前に破談になって、でも家は買っちまった後だった……って、言ってたな」

「それはお気の毒に」

「でもまあ、しょうがない。悪い人じゃないけど、気難しいから、女から愛想尽かされたんだろう。その気持ちはわからなくもない。しっかりしてるっていえば聞こえはいいけど、細かいんだよ、あの人。ゴミの分別だとか、集積所の掃除当番だとか、やたら仕切りたがるんだよな。この前なんか、うちのポストの文字が消えちゃって読みにくいから書き直したほうがいいとか言うんだ。住人の名前が書いてないと配達員も困るからって。その通りなんだけど、余計なお世話だっての」

でもたしかに、ポストの文字は書き直したほうがいいと思う。口が裂けてもそんなこと言えないが。

「わかってるんだけど、先回りして小言言われると気持ちが削がれるみたいなこと、あるじゃないか。親から宿題やりなさいって言われたら、逆にやりたくなくなるみたいな。いまやろうと思ってたのにってこと、あるだろう?」

「そうですね」

中岡は梨沙の同意を得て満足げだ。

「とにかく、小筆さんがうちに来てないんだったら、ほかに心当たりもないから、野田さんの話はなにかの誤解ってことになるな。やっぱりあんた、なにかを見間違えたか記憶違いだよって、野田さんにはおれから言っておく」

中岡はその後も入院時の話を三十分以上一方的にまくし立てるように話し、じゃあまた来るわと出て行った。

中岡を送り出して振り返ると、カウンターで接客中だった徳永が、疑念を湛（たた）えた目でこちらを見ていた。

5

自転車の進路を阻むように、徳永が眼前に立ちはだかった。想定内の行動だ。中岡が帰った後から、徳永はずっと梨沙に話しかけるタイミングをうかがっている様子だった。

「なんですか」

梨沙は冷たく問いかける。

「違うよね？」

「なにがですか」

走って追ってきた徳永は、肩で息をしていた。

「中岡さんの話。留守のはずの中岡さんの家から、犬を連れた若い女性が出てきたという話、きみじゃないよね」

「私はもう三十二歳で、若いとは言えない年齢ですから」

「中岡さんの年代からしたら、きみはじゅうぶんに若い女性だ」

梨沙は笑みを収め、蔑むように徳永を見つめる。

「家庭訪問をどうやって乗り切ったのか、ずっと疑問だった。真鍋さんは、家庭訪問の際にはお留守のようでしたのでお会いできて嬉しいですと、おれに話していた。あのときはなんとなく調子を合わせたけど、いったいどこに家庭訪問したのだろうと不思議だった。まさか一人暮らしのきみの家なわけがない」

「私の家です」

「嘘だ」

「嘘じゃありません」

「きみは嘘ばかりついている」

「またお説教ですか」

「なにが本当なのか、確認したいだけだ」

「すべて本当です」

「違う」徳永はきっぱりと言った。

「少なくとも一つ、はっきりした嘘がある。真鍋さんにおれを夫だと言ったことだ」

「店長も共犯です」

「そうだよ。おれも共犯だ。共犯者になってしまったのを、いまは後悔している」

「後悔しても罪が消えるわけじゃありません。店長は同罪です」

地面を蹴ってペダルを漕ぎ走り出そうとしたが、徳永の言葉に引き留められた。

「真鍋さんに本当のことを言う」

振り返った梨沙に、徳永は告げた。

「罪は消せないけど、償うことはできる」

しばらく無言で睨み合った。

「私との約束を破るんですか」

「約束はしていない」

今度は両手を合わせて懇願した。

「言わないでください。お願いです」

「なんでそこまでして、保護犬を迎えようとする？　犬好きでもないきみが」

理解できないという感じで、徳永がかぶりを振る。

「犬は好きです」

「きみの保護施設での振る舞いを見たおれに、その言葉を信じろっていうのか。犬はアクセサリーじゃない。命なんだ。飼ってみて思っていたのと違ったからといってすぐに手放すわけにはいかない」

「わかっています」

「わかっていない」

「なにをしたら信じてくれるんですか」

「信じられないよ、きみの口から発せられる言葉は」

徳永が諭す口調になる。「申し訳ない。言い過ぎた。けれどおれには、きみが相応の覚悟を持っているようには思えない」

「覚悟がなければ、店長にあんなことお願いしません」

「覚悟ってのは、そういうことじゃ……わからないかな、きみ自身のプライドを曲げるってことじゃなくて、犬を幸せにできるかどうかってことだ」

「犬が幸せか不幸かなんて、人間にわかるんですか」

「わからないから、最善を尽くしてやる必要がある。どんな過酷な環境だって、犬は受け入れるしかないんだから」

「最善って、なにが幸せか不幸かわからないんだから、なにが最善かもわからないじゃないですか。最善を尽くすなんて、結局自己満足な人間のエゴでしょう」

「そう考える人間に、犬を飼う資格はない」

「その資格ってやつも、人間さまが勝手に判断しているだけですよね」

たかが犬じゃないですか。ぽつりと漏らした呟きに、徳永の顔色が変わった。

「やっぱりきみのような人が犬を飼ってはいけない。真鍋さんに連絡する」

スマートフォンを取り出す徳永の手に、梨沙は自分の手をかぶせた。

「やめて」

「離してくれ」

揉み合いの末、徳永に弾き飛ばされた。

自転車ごと横倒しになる。

「ごめん。大丈夫？」

徳永が駆け寄ってきた。

梨沙は肘を押さえながら立ち上がる。

「痛い……」

徳永は心配そうでもあるが、同時に、本当に梨沙が痛がっているのか疑っているようだった。

痛いのは本当だ。しかし、顔を歪めて足を引きずるようにして歩くほどには、痛くない。

梨沙は痛い痛いと呻きながら、自転車のハンドルに手をかけた。

「小筆さん、怪我は……」

見ればわかるでしょう、という顔を作る。徳永はなにも言えないようだ。

「もう嫌だ。こんな職場……」本当に嫌なのは職場ではなく、徳永の向けてくる正しさだった。

捨てたはずの故郷や家族を思い出して苦しくなるし、自分がひどく醜い生き物のように思えて、
惨めな気持ちになる。「辞めます」

「辞めてどうする」

「引っ越すけど、あなたには関係ないでしょう。私には魅力を感じていないんだから」

「そういう問題じゃ――」

「良い人ぶってんじゃねえよ！」

自分でも驚くほど大きな声が出た。徳永が両肩を跳ね上げる。

「辞める。今年いっぱい……いや、今月いっぱいで」

「それは、かまわないけど」

よほど驚いたのか、徳永の声からはすっかり険が抜けていた。

「真鍋さんに連絡しないで。もし連絡したら、あなたの家庭をめちゃめちゃにしてやるから。店長から襲われたって、奥さんに言うから」

「そんなデタラメ――」

「信じるわけないって？　どうかしら。試してみましょうか。部下の若い女からそんな告発をされて、まったく夫を疑わないでいられるかな？　だって、そんな嘘をついたところで、私には一円の得にもならないんだから。火のないところに煙は立たないって言うしね」

顎を突き出し、露悪的な口調を意識した。圧倒的な正しさと対峙するには、悪役に徹するしかない。

やがて徳永の目に、軽蔑が宿る。

「きみは、最低だ。ここまでとは思わなかった。幻滅したよ」

「別にあなたに幻滅されたところで痛くもかゆくもないし」

懸命に強がったが、いまにも泣き出しそうだった。堪えきれずに涙があふれそうになり、とっさに顔を背ける。

梨沙はサドルに跨がり、ペダルを漕ぎ出した。

6

「あれ？　小筆さんじゃないか」

背後からの声に、身体が硬直した。

振り向くと案の定、中岡が歩み寄ってくるところだった。昨日の今日でまたも中岡に遭遇するなんてついてない。なにかの罰だろうか。

罰せられる行いに心当たりはあるが。

「いま、店に行ってきたところなんだ」

言いながら、梨沙の勤務先の方角を指差す。「そうですか」

昼休憩に入り、食事のためにショッピングモールに入ろうとしたタイミングだった。こんなところで中岡と出くわしたのは、初めてだった。あと数秒早く店に入っていれば、中岡に捕まらずに済んだはずなのに。

「小筆さんは、なにしてるの」

「えっと……」食事と答えたら、同席させてくれと言い出しそうな気がする。「ちょっと買い物に」

「買い物って、なに」

「たいしたものじゃないです」

「なんだよ、それ。おれはなにを買いに行くんだって訊いたのに、たいしたものじゃないって、答えになっていなくないか」

「そうですね」

笑おうとしたが、不自然に頰が痙攣しただけだった。

「なにを買うの」

仕事中に買い物するのに不自然でないもの。懸命に考えてひねり出した答えが「電池」だった。

「電池？　コンビニにも売ってるけどな」

けどコンビニだと高いか。納得したようだ。

「大きさは？」

「単4です」

「単4か」と、なぜか残念そうにされた。

「それ、急ぎで必要？」

「そう……ですね。どうしてですか」

「単4なら、まとめ買いして余ってるのがうちにあるはずだから、明日でいいなら持ってくるけど」

「いいえ。そこまでしてもらうわけには……」

「遠慮しなくてもいいじゃない。たかだか電池なんだし、わざわざ買ってくるならともかく、余ってるんだから」

遠慮しているのではなく、かかわりたくない。

それでも知りたいし、訊きたい。

あなたの家の浴室に、死体がありませんでしたか？　その死体を、どうしましたか？

「なんなら、仕事終わった後でうちに来るかい？」

全身から血の気が引いた。

自宅に招いてどうしようというのか。口封じのために殺すのだろうか。

気づいているのか？　留守宅への侵入者の正体に。死体を居間から浴室へと移動させた人物の正体に。

「なんだよ、その顔。別に取って食おうってわけじゃない」

「いや。いいです」

後ずさりながら両手を振った。

「そうかい。まあ、おれはいつでも歓迎だからさ、気が向いたら来てくれよ。確認しておくぞ。合鍵は？」

言葉が出てこない。

中岡が怪訝そうに片眉を持ち上げる。

「合鍵は？　どうした？」

目の前で手をひらひらされて、ようやく言葉をひねり出した。

「本当ですか」

「は？」

「本当に合鍵は、植木鉢の下に置いてあるんですか」

「なにを言ってるんだ」

不審そうにされた。

「なんでもないです。ごめんなさい」

「そういえば、小筆さん、あの店辞めちゃうらしいね」

梨沙は小さく息を吸った。

「さっき店長さんから聞いたよ。小筆さんが仕事辞めて引っ越すって。よくやってくれていたのに、残念だって」

「そうなんです」

徳永の無害そうな笑顔を思い出した。あの男、余計なことを。

「おれも残念だ。小筆さんがいなくなるのなら、もうあの店に行く理由もなくなる。なんでも、新居では犬を飼う予定らしいじゃないか。犬を飼うために、引っ越すんだろう？　どこに引っ越すの」

「いや。それは……」

「なんだよ、教えてくれてもいいじゃないか」

中岡は笑顔で禿げ頭を撫でる。

「店長さんにも、引っ越し先を言ってないらしいな。小筆さんに訊いても教えてもらえないって嘆いてたよ。それってちょっと水くさいっていうか、悲しいじゃないか。袖触れ合うも多生の縁って言うじゃないの。仕事辞めても、ときどきは連絡したり、会ったりしたいものじゃないのか。どこに引っ越してなにするかぐらい、教えてくれてもいいんじゃないの」

たぶんこれは、徳永の復讐（ふくしゅう）だ。自分がなにをしたのか忘れるなと釘を刺したつもりか。

「どこに引っ越すの。教えてよ。もし次も客商売するようなら、遊びに行くからさ」

「無理！」

梨沙は地面を蹴り、ショッピングモールに駆け込んだ。とてもではないが、食事をする気にも職場に戻る気にもなれない。そのまま帰宅し、退職日までの残りの出勤日はすべて欠勤すると、徳永にメールで伝えた。徳永からは何度か電話がかかってきたが、すべて無視した。

7

パーキングブレーキを引き、レンタカーの運転席を降りる。

神田邸の玄関前では、すでに神田と真鍋が待ち受けていた。神田の隣に立っている見慣れない老紳士は、神田の夫だろうか。丸い身体つきから発せられる朗らかな空気感が、神田とよく似ている。

神田の足もとには、リードにつながれたコロンがちょこんと座り、梨沙の来訪を歓迎するように尻尾を左右に振っていた。

梨沙は後部座席から買ったばかりのペット用キャリーケースを取り出し、神田邸の玄関に向かった。コロンの尻尾の揺れが大きくなる。

「こんにちは」

三人の前でキャリーケースをおろした。

「今日も旦那さまは……」

真鍋が無人のレンタカーを見る。

「急な仕事で来られなくなってしまいました。くれぐれも真鍋さんと神田さんに、よろしくお伝えくださいということです」

こんな大事なときにも来られないのか。真鍋は失望を顕わにしたが、神田はまったく気にしていなさそうだ。

「お忙しいのね」と言った後で、隣に立つ老紳士を紹介してくれる。

「うちの主人です」

「はじめまして」

老紳士が柔和そうな笑みを浮かべた。

「はじめまして。小筆梨沙と申します。これまでコロンちゃんを大事に育ててくださり、ありがとうございます」

「いえいえ。とても人慣れした賢い良い子なので、トライアルもきっと上手くいくと思いますよ」

なあ、と水を向けられ、妻が頷いた。

「本当に。ぜんぜん手がかからなくて、良い子……」

そこで言葉を詰まらせ、自分の口を手で覆う。「とても良い子だったので、幸せにしてあげてください」と、声を震わせながら続けた。それからしゃがみ込み、コロンを正面から抱きしめる。

「新しいパパとママの言うことをよく聞いて、ちゃんとお利口さんにするんだよ。元気でね」

夫がいたわるように妻の肩に手を置く。妻は立ち上がり、夫の肩に顔を埋めた。

「預かった子が卒業するときには、いつもこうなんです」

夫が笑いながら言った。

真鍋が神田からリードを受け取る。

梨沙がキャリーケースの扉を開けると、コロンは自分からキャリーに入った。これも神田夫妻の根気強いしつけの成果か、それともコロンの生来の賢さのおかげだろうか。

中身の入ったキャリーケースは、ずっしりと重量感があった。なにしろコロンだけで十二キロだ。両手で抱えて後部座席に乗せ、シートベルトで固定する。

「最初の数日は、そこが自分の家だと認識できるよう、基本的にサークルの中で過ごさせてください。散歩は朝晩二回、理想はそれぞれ一時間ずつです。ご飯も朝晩の二回、いまはドライフードを一回につき六〇グラム与えています。最初は慣れない環境で緊張して食べない可能性もありますけど、犬は数日食べなくても平気なので、それほど心配する必要はありません。環境の変化でお腹を壊したり便秘になったりすることも考えられますので、気をつけてあげてください。あとはなにか心配なことや気がかりなことがあったら、私のほうに連絡してくだされば。夜中でもできる限り電話に出られるよう、気をつけておきます」

「なにからなにまでありがとうございます」

「トライアルの期間は二週間です。二週間、一緒に暮らしてみて、コロンちゃんと生活していけるかを判断してください。二週間後にうちの施設までコロンちゃんと一緒に来てもらい、結果を教えていただくことになります。もちろん、二週間経つ前に無理だと感じたら、そのとき連絡をください。成功して欲しいと願っていますが、無理をする必要はありません。合わない場合には合わないとはっきり伝えていただけたほうが、結果的に双方の幸せにつながりますので」

「わかりました」

運転席に乗り込んだ。

真鍋と神田夫妻が見送りに出てきた。妻のほうは涙で顔をぐしゃぐしゃにしながら手を振っている。

車が発進した。キャリーケースからがたり、と音が聞こえたのは、コロンが振り返ったせいだ。角を曲がり、三人の姿がルームミラーから消える。

ついにやった。

コロンを――さくらを手に入れた。

高揚が全身を駆け巡る。

「これからよろしくね、さくら」

ちらりと背後に視線を向ける。キャリーケースの格子越しに、白い毛並みが覗いていた。慣れ親しんだ預かりボランティアのもとから引き離されるのだから、もう少し暴れたり吠えたりするかもしれないと覚悟していたが、コロンは驚くほど落ち着いていた。保護犬という自らの境遇を理解しているかのようだ。むしろ神田の泣きじゃくる様子を思い出すと、気が咎めた。

方向転換して一時間ほど走り、新居のマンションに到着した。

十二キロの荷物を抱えて四階までのぼるのは骨だ。ときおりバランスを崩して階段から転落しそうになりながら、なんとか自室に辿り着いた。

引っ越したばかりで、がらんとした部屋だった。まだ荷解きしていない段ボール箱を壁際に積んだままだ。ペットサークルは部屋の奥のほうに設置した。

内見したときには広く感じたのに、荷物を運び込んでみると急に狭くなった。その上、犬用の居住空間まで作るとなると、手狭を通り越して窮屈な印象だ。それでも暮らしていくしかない。後戻りできる段階は、とっくに過ぎている。

ペットサークルの前にキャリーを置き、扉を開く。コロンは頭を低くして周囲を警戒しているようだった。しばらくキャリーから出てこない。

「ほら、出ておいで。新しいおうちだよ」

両手を叩いて呼んでみたが、まだ決心がつかないようだ。

「そうだ。いいものがある」

段ボールをいくつか探り、犬用砂肝ジャーキーの袋を見つけた。寺本からもらったプレゼントだった。開封済みだが、日持ちしそうなおやつなので悪くなってはいないだろう。

ジャーキーを一切れ、コロンの鼻先に近づけた。くんくんと鼻を動かしたコロンが、匂いに誘われるようにキャリーから出てくる。

そのままサークルに誘導し、コロンがサークル内に入ったところで扉を閉めた。サークルの中には犬用トイレが設置してあり、それ以外の部分には毛布を敷き詰めていた。咬んで遊べる犬用の玩具も二つ、置いてある。

コロンはトイレの上で丸くなり、ジャーキーをかじり始めた。

「そこはトイレだよ。こっちのほうがふかふかで気持ちいいんじゃないの」

毛布をポンポンと叩いてみたが、コロンはこちらを一顧(いっこ)だにしない。一心不乱にジャーキーをかじり、一分も経たないうちに食べ終えた。同じおやつをかじってみた経験があるだけに、犬の顎の力の強さと歯の丈夫さに驚かされる。

コロンがこちらを見上げた。もう一つちょうだい、という顔で。

一度にそんなにたくさんあげても大丈夫なものだろうか。ジャーキーの袋に書かれた注意書きを読んでみる。一日に与える目安が、犬の体重ごとのグラム数で表示されていた。あげすぎなければ問題はなさそうだ。

ジャーキーをあげようとして、ふと思いついた。

スマートフォンのカメラを起動し、動画モードで撮影しながらジャーキーを差し出す。カメラのレンズが生き物の目のように見えるのだろうか。コロンはレンズに少し怯えた素振りを見せながら、ジャーキーをくわえてかじり出した。

「さくら、美味しい？」

声をかけると、なにか言った？　という感じに顔を上げる。

「美味しい？」

撮影を停止し、動画を確認してみる。悪くない。背景の壁紙の色と足もとに敷いた毛布がやや貧乏臭いが、壁紙なんて無地ならどこもたいして変わらないし、毛布がくしゃくしゃなのは、犬のベッド用に敷いたものだから当然ともいえる。

動画を寺本に送信しようとして、ふと思い直した。

もう一度、動画を再生する。

「なにかが……」違う。

以前の写真の盗用元だったメアリーと、目の前のコロン。瓜二つだと思っていたのに、撮影した動画を見ると、別の犬に見える。別の犬なのだから当然なのだが。

メアリーの写真を表示させ、コロンと見比べてみた。

やはり違う。コロンは左耳だけが茶色く、メアリーは右耳だけが茶色い。それについては、今後は写真を左右反転させる手間が省けて好都合だと思っていたのだが、わずかに茶色の色味が異なっている。同じ茶色でも、コロンの左耳は黒味が強いこげ茶色なのにたいし、メアリーの左耳はやや赤みがかっている。それにメアリーのほうが目と目の間が狭く、目尻が吊り上がって、ややきつい印象に見えた。興味がないときには見分けがつかなかったのに、実際には犬の顔立ちもいろいろだ。

ふたたびカメラを起動し、何度か角度を変えて撮影してみた。

すると左斜め上から撮影した動画は、メアリーにかなり近い印象になった。画像編集アプリで右耳の色味を調整すると、さらに良い感じだ。それでも写真同士を見比べられると別の犬だとわかってしまう。これまでにアップしたメアリーの写真は、随時非公開にしていこう。いきなりぜんぶ消すと気づかれそうなので、コロンの写真を一枚アップするごとに過去の数枚を非公開にすればいい。しばらくすればミースタの写真はすべてコロンのものに差し替わっている寸法だ。

ひとまず過去にアップしたメアリーの写真を載せたポストを、いくつか非公開にした。

じわじわと解放感がこみ上げてきて、梨沙は部屋の床に大の字になって寝転んだ。

本が出る。森山豪太郎に会える。メアリーの写真をコロンのものに差し替える。いずれは動画チャンネルを起ち上げ、コロンの動画を配信して収益化する。日本一登録者数の多いペットチャンネルの予想収益は、年間で一億円を軽く上回ると、ネットに書いてあった。犬や猫の動画を垂れ流すだけで一億円も稼げるなんて、地道に働くのが馬鹿らしくなる。実際バカなのだろう。憲法で勤労の義務が定められているのは、義務にしないと勤労する人間がいなくなるからだ。楽して稼げるのに越したことはない。

これからだ。これから、私の人生は上向いていく。天井を見つめ、明るい未来を夢想する。夢心地でまぶたを閉じると、意識が溶けていく感覚があった。

そのときふいに目の前に女の顔が現れ、息を呑んだ。

生気を失った青白い肌に、こけた頬、張りのない髪の毛は、半分ほど白くなっている。

あの女だ。

中岡の家で発見した、謎の死体。飯田英子。ワンピースの胸のあたりがどす黒く染まったあの女が、宙に浮いていた。

なぜいま、この女が……。

梨沙は身体の自由が利かずに、逃れるどころか、指一本動かせない。

やがて女の死体が近づいてくる。あのとき嗅いだ体液の嫌な臭いが、鼻孔の奥に蘇る。

嫌だ。やめて。来ないで。

頭の中に浮かんだ言葉は、声にならない。唇すら開くことができず、まぶたも動かないので目を閉じることすらできない。

女の顔が、上空一〇センチのところまで近づいた。女の顔が濡れているのは、梨沙が隣で浴びたシャワーの湯がかかったせいだ。女の顔を伝う水滴が、ぽとり、ぽとり、と垂れてきて、梨沙の顔にかかる。

ふと気づく。これは夢だ。コロンを手に入れた安心感と疲労から、眠ってしまったらしい。

それなら早く目覚めないと。

だが夢という自覚はあるのに、いっこうに覚醒する気配はない。

閉じていた女のまぶたが、かっと見開かれる。

「どうして置き去りにした！」

そのとき、ようやくまぶたが開いた。全力疾走したかのように呼吸が乱れ、汗だくだった。振り返ると、サークルの格子の向こうでコロンが不思議そうに首をかしげている。

梨沙は長い息を吐き、上体を起こした。両手で顔を覆う。目を閉じるとふたたびあの女が現れそうで、すぐに顔を上げた。

コロコロと転がってきたボトルが、太股に触れる。血糊のボトルだった。飛び起きた拍子に、手で倒してしまったらしい。

梨沙はボトルを拾い上げた。半透明のボトルに、半分ほどの黒い液体が揺れている。最近はキャップを開けていない。いっそ捨ててしまおうかと思ったが、どうにもふんぎりが付けられないでいた。このおまもりなしで生きていくのは、あまりに心許(こころもと)ない。

窓の外は暗くなりかけていた。かなり長い時間、眠っていたらしい。

「さくら、お散歩に行ってみる？」

コロンは尻尾を振り、小さくワンと吠えた。「お散歩」という言葉がわかるのだろうか。

犬の飼育に必要なものは、ホームセンターでひと通り揃えてある。

サークルの扉を開いた。

「おいで」と呼びかけると、コロンは左右を確認しながら恐る恐る出てきた。梨沙のほうには向かわず、部屋の隅のほうに向かって匂いを嗅ぎ始める。そういえば、中岡宅で家庭訪問を受けたときにも同じことをしていた。まず匂いをたしかめて安心したいのだろう。

くんくんと鼻を動かしながら部屋を一周し、ようやく梨沙のところへやってきた。

「よしよし。良い子」

頭を撫でようとすると、コロンが鼻先を持ち上げてきたので思わず手を引いてしまう。こんなことではいけないと思い、脇腹を撫でてやった。尻尾が大きく揺れ始めた。喜んでいる。

「首輪とリード、つけてもいい？」

梨沙が首輪を取り出すと、コロンはこちらに背を向け、お尻を落としてちょこんと座った。首輪をつけやすくしてくれたようだ。どうぞ、という感じに、こちらを振り返る。

「あなた、賢いね」

神田がしつけてくれたのだろうか。以前に人に飼われていたようだとも聞いたから、そのときの飼い主がしつけたのか。

コロンに首輪を装着し、ハンディシャワーを取り付けたペットボトルと財布、スマートフォンを詰めたトートバッグを片手に、部屋を出た。

扉を開けた瞬間、滑り込んでくる空気の冷たさに怯む。いったん部屋に戻り、秋物のコートから段ボール箱にしまっていたダウンジャケットに着替えた。

玄関を見ると沓脱（くつぬぎ）に立ったコロンが、尻尾を振りながらこちらを見ている。

人間は冬物のコートで寒さをしのげるが、犬はどうなのだろう。つねに全裸で過ごしていて、風邪をひいたりしないのだろうか。

「あなたは大丈夫なの？」

首を左右にかしげられた。どういうしぐさなのかわからないが、積もった雪に喜んだ犬が庭を駆け回るという歌詞の童謡もあることだし、きっと平気なのだろう。

散歩に出ると、コロンは梨沙の左側について、軽快に歩いた。ときおり立ち止まっては、建物の外壁や電柱の匂いを嗅ぐ。気が済んだらまた歩き出す。

前方から、トイプードルを連れた中年の女が近づいてきた。トイプードルはコロンに興味津々な様子で、飼い主のほうも、あら、と笑顔を浮かべる。

こういうときは、どうすればいいのだろう。梨沙の緊張を察したかのように、コロンが立ち止まった。お尻を落として座る。

「あらー待っててくれたの？　良い子ねえ」

女はコロンに目を細め、トイプードルはコロンのお尻のほうに近づき、匂いを嗅ぐ。コロンは自分よりひと回り小さいトイプードルを目で追いながら、されるがままになっていた。

「おとなしくて良い子ですね」

「ありがとうございます」

コロンはお尻を浮かせて立ち上がると、頭の高さをトイプードルに合わせ、鼻と鼻を触れ合わせるような挨拶をしていた。

「うちの子、本当は犬が苦手なんです」

「そうなんですか」

コロンと触れあう様子を見る限り、とてもそうは見えない。

「いつも吠えかかっちゃうから心配してたんだけど、この子は大丈夫そう。きっとやさしい子なんですね」

自分が褒められたかのように気分がよかった。

その後もコロンの散歩は順調だった。むやみに人や犬に吠えたりしないし、リードを引っ張って自分勝手に進んだりしない。歩く速度も、梨沙に合わせてくれる。犬を飼った経験はないが、すれ違うほかの犬を見る限りでは、犬はみんな、こんなに従順で賢いわけではないらしい。

やがて公園を見つけた。それほど大きくはないが、緑もあって良い雰囲気だ。これからのお散歩コースに加えても、いいかもしれない。

公園に入ってほどなく、コロンがその場でくるくると回転し始めた。

なにが起こったのか混乱していると、ぽとり、と黒いかたまりが地面に落ちた。ウンチをしたかったようだ。

そのときに気づいた。おしっこをしたときに流すためのハンディシャワーを持ってはいたが、ウンチを処理するための袋を持参していない。

こっそり立ち去ろうとすると、背後から声をかけられた。

「なにをしているんですか」

びくっと肩をすくめ、振り返る。

中岡——？

心臓が止まりそうになったが、見間違いだった。年ごろこそ中岡と同じくらいに見えるが、もっと体格の良い男が、小走りで近づいてくる。

「このワンちゃん、いまウンチしたでしょう」

「いいえ」

とっさに嘘をついたが、男は自信があるようだった。

「この眼で見ていたんです。いま、このワンちゃんがウンチしているところを」

「ごめんなさい。処理袋を忘れてしまって」

「だからって、放置していったらダメじゃないですか。そんなことをしていたら、犬は迷惑な生き物だと思われてしまいます。犬が悪いなんてことはまったくなくて、本当は飼い主が悪いだけなのに」

男は怖い顔でまくし立てていたが、コロンが尻尾を振っているのに気づいて表情を緩めた。

「よしよし。きみに怒っているんじゃないんだよ。きみのママに怒ってるんだ」

ママじゃないし、飼い主だし。

反論を口に出すと話が長くなりそうなので、内心だけに留めておく。

「すみませんでした。でもどうしよう」

まさか手でつかんでトートバッグに詰めて持ち帰れなんて、言い出さないだろうな。

ひそかに警戒していると、男は意外な提案をしてきた。

「たしか車に犬のウンチ処理袋が残っていたはずだ。持ってくるから待っていなさい」

「そこまでしてもらわなくても――」

「いいから。ここで待っていなさい」と念を押し、男が背を向ける。

梨沙とコロンはその場に取り残された。

わざわざウンチ袋を持ってきてくれるなんて、ずいぶんお節介な男だ。それにしても車にウンチ処理袋を常備しているとは。愛犬家の評判を気にしていたし、コロンが尻尾を振っていたし、自身も犬を飼っているのだろう。

しかしあの男、どこまで行ったのだろう。車から持ってくるというから、てっきり公園の脇にでも止めているのかと思ったら、すっかり姿が見えなくなってしまった。

「帰ろうか」

いいの？　と訊き返すように首をかしげたものの、梨沙がリードを引くと、コロンは素直についてきた。

8

目覚ましなしで自然に目覚められるのは、なんと幸せなことだろう。

シングルのマットレスに寝転んだまま、視線を持ち上げて窓のほうを見る。

とっくに目覚めていたらしいコロンと、サークルの格子越しに目が合った。つぶらな瞳で梨沙を見つめ、尻尾を振る。早く散歩に連れて行ってくれというのか、それとも、たんに新たな飼い主と目が合ったのを喜んでくれているのか。

「おはよう。コロン」

　コロンはハッ、ハッ、ハッと短い息を継いでいる。まだ起き出す気分じゃないが、サークルに閉じ込めておくのもかわいそうになって、扉を開けた。

　嬉しそうに飛び出してきたコロンから、顔を舐められた。

「やめて」と言おうとしたら、開いた口の中にまで舌を突っ込んできたので、唇を結んでコロンの朝の挨拶を受け入れる。

　ようやく落ち着いたコロンが、寝転んだ梨沙の隣にぺたりとうつ伏せになって寄り添ってきた。悪くないと、素直に思った。手がかかるのは間違いないが、目覚めた部屋に自分以外の息吹と体温を感じられるのは、とても気持ちが安らぐ。

「お散歩、ちょっと待ってくれる？」

　働いていたころは、とっくに出勤しているはずの時刻だった。この生活も長くは続けられないが、束の間の怠惰な暮らしを満喫したい。

　貯金を切り崩して生活できるのは、三、四か月ぐらいだろうか。それまでに次の仕事を探さないといけないが、正社員になるつもりはない。本が出れば印税も入るし、売り上げ好調で話題になれば、新聞雑誌やテレビから取材の依頼が殺到するかもしれない。

　——かもしれない、ではない。間違いなく取材の依頼が殺到する。そのとき正社員で働いていたら、スケジュールの融通が利かなくなる。成功は約束されているので、それまでアルバイトでしのげばいい。

スマートフォンを手にし、ミースタを開いた。昨日、散歩中に撮影したコロンの写真を、さくらの近影として投稿していた。

――さくらちゃん、相変わらずかわいい。

――さくらちゃん天使！

――さくらちゃんの笑顔に癒やされます。

――さくらちゃん、いつまでも元気でいてね。

――さくらちゃん、やっぱり幸せそう。リサさん、心ない中傷に負けずに頑張ってください。

――さくらちゃんが実在しないなんてありえないです。こうしてアップされた写真がなによりの証拠。

――さくらちゃんが実在しないなんて変なコメントつけた人たち、なにか言うことないのかな。傷つけるだけ傷つけて、謝りもせずに逃げるなんて信じられない。

さくらと梨沙を讃(たた)えるコメントが並んでいる。もっとも、このうち半分は別アカウントで投稿した自分のコメントだが。

昨日投稿したコロンの写真には、背景に日本語の交通標識が写り込んでいる。たまたまではなく、わざと写り込ませた。さすがにあの写真を見て、さくらの実在を疑う人間はいないだろう。

このところコメント欄に出没していたアンチも、いまのところなりを潜めている。

「よし。頑張ろう」

梨沙は上体を起こし、タブレット端末を手にした。さくら＝コロンがままならない人生を好転させる鍵なのは間違いないが、梨沙自身が行動しないことには、何事も前に進まない。単行本化のためのマンガを描きためないと。

お絵かきソフトを起動し、タッチペンをかまえる。しばらく白紙のキャンバスを見つめ、ため息をついた。

出てこない。創作意欲が湧き上がった気がしたので、描けると思ったのだが。それとも自分が創作意欲と捉えている感情は、実際には創作意欲とは異なる、なにか別の名前をつけられるものなのだろうか。

ちらりとコロンを見る。梨沙にたいしてお尻を向け、伏せていた。これほど脱力できるのかというほど脱力し、敷物のように床にへばりついている。眠っているのかと思いきや、尻尾がゆっくりと左右に動いて床を掃いていた。その規則的な動きを見つめながら、梨沙は考えた。さくらはもはや、架空の犬ではない。これまで一緒に過ごした中で、マンガにできそうなエピソードはなかっただろうか。

思い浮かばない。

〈犬好きとつながりたい〉

検索窓にハッシュタグを入力しながら、ふと思った。

寺本にもコロンの写真を送っていたのに、反応がない。いつもならこっちがうざったく感じるほど、マメに連絡を寄越してくるのに。

メッセージアプリで寺本とのトーク画面を開いた。返信がないのはともかく、『既読』すらついていないのはどういうことだ。よほど忙しいのだろうか。

なにかメッセージを入力しようとして、やめた。送った写真すら見られない状態の人間にメッセージを送っても迷惑だろう。

無性に胸騒ぎがする。忙しいのならいいが、体調を崩したりはしていないだろうか。あるいは事故に遭ったとか。恋人と同棲していると話していたので、かりにそうであっても梨沙の出る幕ではない。だがもしも、寺本が病気なり怪我なりで仕事ができなくなった場合、コミット出版は代わりの編集者を立ててくれるのだろうか。森山豪太郎との面会の予定はどうなる。寺本が森山豪太郎の担当編集者だったことでつながった縁だ。寺本が担当を外れたら、森山との縁も切れてしまうのだろうか。そこが気になる。

音声発信ボタンをタップし、スマートフォンを耳にあてた。ひと晩、『既読』がつかないだけで電話するなんて面倒くさい女だが、もしも寺本が電話に出たら、体調が心配だったと答えればいい。しかし呼び出し音が続くばかりで応答はない。

発信をやめ、液晶画面を見つめた。メッセージも届かないし、折り返しもない。

――あんた、騙されてるんじゃないの。

一度会っただけの小説家志望の男の声が、鼓膜の奥に蘇った。

「いやいやいやいや。そんなはずがない。ありえないって」

独り言を呟きながら、財布を手にした。ずっとお守りのように持ち歩いていた、寺本の名刺を取り出す。寺本個人の携帯電話番号の上に、編集部の代表電話番号も記載されていた。

番号を入力し、発信する。

すぐに聞こえてきたガイダンス音声に、目の前が真っ暗になった。

『おかけになった電話番号は、現在使われておりません』

どういうことだ。個人の電話なら料金未納などの事情が考えられるが、会社の電話番号でこういう音声案内が流れてくる可能性は考えられない。

本当に騙されたのだろうか。名刺を凝視する。掲載されているのは寺本の名前、コミット出版編集部の代表電話番号、寺本の携帯電話番号、寺本のメールアドレス。寺本のメールアドレスのドメインには有名なインターネット企業の名前が入っており、誰でも取得できるフリーメールアドレスであることがわかる。

これって、おかしいんじゃないか？　名刺にフリーメールアドレスを載せるなんて。普通は会社でドメインを取得するものではないだろうか。

これまでなんとなく目を背けてきた違和感が、むくむく存在を主張し始める。

そんなはずがない。あんなに熱心に仕事してくれて、励ましてくれて、作品を讃えてくれた寺本が、私を騙していたなんて。

連絡がつかないのには、なにか事情があるに違いない。

編集部の代表電話番号が不通なのは、たとえば会社ごと引っ越したのに、引っ越し前の住所が記載された名刺を誤って持ち出していた、とか。

それならありえる。きっとそうに違いない。

ブラウザの検索窓に『コミット出版』と入力する。

ちゃんと会社のホームページが存在したことに安堵した。ホームページで電話番号を調べ、発信する。

呼び出し音が何度か鳴った後で、張りのある男の声が応じた。

『はい、コミット出版編集部』

梨沙はマットレスの上に胡座（あぐら）をかいた。

「あの、小筆です。小筆梨沙」

『はあ。小筆、さん……』

まったくピンときていないようだ。

「そちらのほうで本を出すことになっているんですが。〈保護犬さくら、港区女子になる〉というタイトルで」

『自費出版希望ということで、よろしいですか』

「違います」

自費出版なんかじゃない。自分が希望したわけでなく、乞われて本を出す作家だ。

『うち、基本的に自費出版の版元なんですよ』

早く電話を切りたそうな雰囲気を感じて、傷ついた。私は作家だぞ。巨万の富を生み出すかもしれない、作家さまだぞ。

「それ以外の本も出していますよね。森山豪太郎さんの本とか」

『出してますけど。モリゴーさんは有名人だから』

あなたは違うでしょ、と言わんばかりの口ぶりだ。

「私、森山豪太郎さんと同じ担当編集者についてもらっています。ミースタで犬との生活を綴ったエッセイマンガを描いているマンガ家です」

『そうなんですか』と他人事のような口調だった。『担当編集者のお名前をうかがっても？』

「寺本さんです。寺本直樹さん」

ああ、とすぐに思い当たったようだった。

『あなたもやられたの？』

「なにをですか」

『未公開株、良いのがあるって声かけられた？』

「そんなこと、言われていません」

『あれでしょう？　あなたの原稿を本にしませんかって声かけられて、頻繁に打ち合わせだかで洒落た店に連れて行かれて。でも洒落た店っていっても、ぜんぶランチで、ディナーじゃないんだよな、高くついちゃうから』

言葉が出ない。この男は、梨沙の身に起こった出来事を言い当てている。まるで、梨沙以外にも同じ訴えをしている人間がいるかのように。

しかし、それは当然のことだ。寺本は編集者で、多くの作家を抱えているのだから。

嫌な予感を打ち消そうとするのに、男が追い打ちをかけてきた。

『で、あれでしょう？　モリゴーさんに会わせてあげるって誘われて、代官山かどこかのオフィスに出かけて、実際に会わせてもらったモリゴーさんから、おすすめの未公開株があるよ、あなたのことを気に入ったから特別に教えるんだよって囁かれて、ありったけの預金叩いて、ときには借金してでも購入する羽目になる』

視界が狭くなった。

『違う？』

「いいえ。株は買ってません」

『ならよかった。まだ引っかかる前だったんだ。幸運でしたね』

話を終わらせられそうな気配を感じて「ちょっと待って」と梨沙は言った。

「どういうことですか。寺本直樹はおたくの社員ですよね。社員が詐欺みたいなことをやっているって――」

『辞めました』

声をかぶせられた。『寺本は一年以上前に辞めてます。うちにいたのも二年……いや、二年もいなかったな。せいぜい一年半です』

うちの人間ではないので、無関係ですと言わんばかりだ。

『あの、そろそろいいですか』

男の声でようやく梨沙の時間が流れ始めた。

「よくない！」慌てて男を引き留める。

『よくないって言われても、困るなあ。これ以上話すことなんてないし』

「本当に寺本さんなの？　同姓同名の社員は、ほかには――」

『いません』と答える声は、わずかに笑いを含んでいた。『うちは小さな会社ですから。寺本直樹っていう編集者は、一年以上前に辞めた人間だけです。年はたしか二十七か二十八ぐらいで、頭の横を刈り上げていて、歯が白すぎて少し胡散臭い印象の』

まさしく梨沙の知る寺本だった。

『あいつ、歯のホワイトニングしてるんですよ。妙なこだわりがあるみたいでね。何か月かに一回、通ってるみたいですよ』

それは梨沙の知らない情報だった。

ともあれ、同姓同名の別人という可能性はなさそうだ。

だとしたらどうなっている。

「私、実際に森山豪太郎さんと話しましたよ。オフィスに遊びに来てくださいって言われたし、人違いじゃありません。あの声や話し方は、間違いなくモリゴーでした」

『そうなんじゃないですか』

あっさりとした口調だ。

「そうなんじゃないですかって、そんな無責任な」

『無責任もなにも、うちには責任なんてありませんから』

「おたくの元社員がやったことですよ」

『元社員は現社員じゃありませんから』

「訴えます」

　一瞬、沈黙があった。

『仰る意味がわかりませんが』

「お宅の会社を訴えると言っているんです」

『どこに』

「裁判所に決まっているでしょう」

『なんの罪で』

「詐欺」

　鼻で笑われた。『うちを訴えるのはお門違いです。訴えるなら寺本か、モリゴーさんじゃないの』

「警察が取り合わないと高を括っているんですね」

『話通じてないな。あなたいま、裁判所って言ったじゃないか。警察は関係――』

「祖父が法務大臣と知り合いなの。祖父が頼めば、すぐに警察が動いてくれるんだから」

『だったら頼めばいいじゃないですか。ただし、捜査するべきはうちじゃない。モリゴーさんのところだ。こっちは出るとこ出たってかまわないですよ』

「あなた、名前は？」

問いかける声が震えた。

『名乗る必要がありますか』

「後で逃げられたら困る」

『逃げも隠れもしません。好きにしたらいい』

「だったら名前ぐらい教えられるはず」

『教える必要はありません』

「やっぱり逃げる気なのね。誰が応対したか明らかにせずに、この通話の内容をうやむやにするんだ」

『そんなことをして、こちらになんの得があるんですか。たんに個人情報を明かす必然性がないだけです』

「私は名乗ったのに」

『あなたが勝手に名乗ったんでしょう。いいがかりをつけるのはやめてくれないか』

吐き捨てるように言われた。

束の間の沈黙を挟み、自らを鎮めようとするような息の気配がある。

『すみません。熱くなってしまいました。あなたもショックを受けているはずなのに。騙されていたなんて信じたくないですよね。才能を認めて声をかけてもらえたって、思いたいですよね』

そこからの話は、まったく頭に入ってこない。意味のない音の羅列に過ぎなかった。

『うちから本を出してくださっている著者さんを悪くは言いたくないけど、あなたの気持ちもわかるから、はっきり言わせてもらいます。モリゴーさんは成功者……というより、成功者という職業なんです。やり手の起業家で、たくさんお金を稼いで贅沢三昧の生活をしているように振舞うのが仕事。そうやって自分を実像より大きく見せることで、現状に不満を抱えた自称意識高い系の若者から金を吸い上げているんです。有名だし、そこらのサラリーマンよりはお金を持っているかもしれないけど、成功者を演じ続けるための出費も大きいから、世間の印象ほどお金持ちってわけでもないですよ。ただやっぱり弁は立つし、ある種のカリスマ性みたいなのはあるので、寺本みたいな若い編集者は影響を受けちゃうんです。一緒に本を作るうちに、すっかりかぶれちゃって、本が出るころにはモリゴーさんのクローンみたいになっていました。マーケットの縮小が続く出版業界なんかにいても先がないから、モリゴーさんと一緒に働きたいって会社を飛び出しちゃってね』

困ったもんです、と、弱々しい息の気配があった。

『寺本が出版を希望する人間に近づいては、うちの会社の名前を出して信用させ、森山豪太郎に紹介して未公開株の購入を持ちかけているという話を最初に聞いたのは、何か月前のことだっけな……あなたみたいに、被害に遭った人から電話がかかってきたんです。そうなって欲しくはなかったけど、やっぱりそうなっちゃったかっていうのが本音です。あ、でもあなた、まだモリゴーさんに紹介されていないんでしたよね。なら被害には遭ってないのか』

未公開株を買わされてはいないが、書籍化の話によって被害は出ている。犬と暮らすために引っ越しまでして、仕事を辞めたのだ。

気が遠くなる。

ぜんぶ嘘だったとしたら、なんのためにこの子を――コロンをもらい受けたのか。

梨沙は無意識にコロンの背中を撫でていた。隣で伏せをしたコロンが、顔を持ち上げて梨沙の指の匂いを嗅いでいる。

『警察に相談するにしても、お金を騙し取られたわけじゃないなら被害届も出せないだろうし、今回は良い社会勉強になったと考えるしか――』

「騙されていません」

電話口で男が絶句する。

私は騙されてなんかいない。

そう考えないと、自分を保てない。

『いや。あなたね』

困惑の滲んだ声だった。

「おたくで出していただけないのでしたら、私の原稿は他社で話を進めていただくことにします」

『他社？』

嘲るような笑みの気配があった。

「他社からも、私のマンガを書籍化したいという話をいただいているんです」

『たとえばどこから？』

「それは申し上げられません」

出版社の名前がとっさに思い浮かばないだけだった。

『ミースタに上げてたマンガっておっしゃってましたけど、フォロワーは何人ですか』

「この前、一万人超えました」

本当は五千人だが、話を盛った。

『フォロワー一万人のマンガに書籍化のオファーが、しかも複数社から来るなんて、ないと思いますが』

「信じてもらえないなら、それでもかまいません」

羞恥で顔が熱くなる。一万人でも少ないのか。もっと大きな数字を答えておくべきだった。

『まあ、他社から話が来ているのなら、そちらで進めていただいたほうがいいでしょうね』

「言われなくてもそうします。すごく熱心な編集者さんが、このマンガはきっとベストセラーになると断言してくださっているんです」

大魚を逃すことになるぞとアピールしたつもりだったが、男は『そうですか。では刊行を楽しみにしています』と平坦（へいたん）に答えて通話を切った。

すぐに寺本に音声発信する。コミット出版の編集者が、彼はすでに退職したと言った。それでも梨沙は、この期に及んで一縷の望みを捨てられないでいた。寺本が偽者ではなく、いま話した男のほうが偽者かもしれない。そんなありえない可能性にすがっていた。

きっとなにか事情がある。あって欲しい。自分の作品を認め、何者かになるチャンスを感じさせてくれた寺本の言葉が、嘘だったと信じたくない。

何度かけ直しても、寺本は応答しない。梨沙の送った動画に既読すらつかない。書籍化の話が嘘だったとしても、梨沙が気づいたことを、寺本は知らない。それなのに、いったいなにがあったのだろう。

スマートフォンをいじりながら、気づけば二時間近くが経過していた。騙されたという現実が、次第に実感を帯びて迫ってくる。

ふいに視界が潤んで、梨沙は目もとを拭った。壁に背をもたせかけて座りながら、濡れた指先を見つめる。

「なにこれ」

それが涙だと理解するまでに数秒を要した。何度か手で目もとを拭ううちに、感情が追いついてくる。

腹立たしかった。惨めだった。悔しかった。何者かになれると期待したのに、望みは叶わなかった。成功して本物の自信を持てれば、嘘で自分を大きく見せる悪い癖もなくなると思っていた。お金さえあれば、すべての問題が解決すると信じていた。うなるほど金を稼いで、自分から離れていった人たちを見返したかった。後悔させたかった。ざまあみろと笑いたかった。自分の生き方が正しいと証明したかった。千載一遇のチャンスは、それ自体がまやかしに過ぎなかった。それなのにすっかり浮かれて、のぼせ上がって、犬を手に入れるために奔走して。

やがて梨沙は両手で顔を覆い、声を上げて泣いた。

するとふんふんふんと鼻を鳴らす音がする。コロンの鼻先が顔のすぐそばにあった。鼻で梨沙の腕を押しのけるようにして、梨沙の口もとをぺろりと舐める。

「ちょっとやめ……」

口の中に舌をねじ込んでくるので、唇を閉じた。唇の周囲をペロペロと舐め回される。顔を左右に振って逃れようとしても、コロンの舌は執拗に追ってきた。

たまらずに噴き出してしまう。なおも迫ってくるコロンを両手で防ぎながら、梨沙は声を上げて笑った。

「わかったから、もう大丈夫だから」

いつの間にか涙は収まっていた。

目もとを拭いながら見ると、コロンは尻尾を左右に振りながらこちらを見上げていた。つぶらな瞳で口を軽く開いた顔が、なんとなく笑っているように見える。笑っているのだろうか。そもそも犬って笑うのか。わからない。少なくとも梨沙には、いまのコロンが笑っているように見える。泣き止んでくれてよかった、笑ってくれてよかったと、全身で表現しているように思えた。

「あなた、私を慰めてくれたの?」

まさか。たかが犬だ。心が通じ合うなんてありえない。しかしだとすれば、いまのコロンの行動はなんだ。どう説明する。あんなに執拗に口もとを舐めようとしてくることなど、これまでなかった。

コロンは笑顔に見える表情で、尻尾を振り続けている。

「ありがとう」

言葉が素直に出てきた。一人きりだったら、きっと落ち込み続けていた。寺本に騙されていたのであれば、コロンを迎えた意味はない。しかしいまは、コロンがいてくれてよかったと思う。

コロンの背中を撫でながら、梨沙は言った。

「ウケるよね。偽編集者のお世辞を真に受けて、あなたを手に入れるために嘘ついて、走り回って」

コロンを手に入れさえすれば、人生が変わるはずだった。

現状は、あてが外れたどころではない。ゼロどころかマイナスだ。

そのわりに不思議と気分が沈んでいないのは、コロンがいてくれるおかげかもしれない。あてが外れて価値のなくなったはずの存在に、梨沙は救われていた。なにがあっても、この子はそばにいてくれる。梨沙の情けない姿や不誠実さを目の当たりにしても、失望したり、去ったりすることはない。

愛されたい。関心を向けられたい。ずっとそう願って生きてきたが、その対象が人間である必要はないのかもしれない。誰も知らない場所で、コロンと一緒に生きていく。それも悪くないのかもしれない。そんなことまで考えてしまう。

「でも、やっぱりむかつくよね」

寺本のことだ。嘘つきという意味では梨沙も同じだが、寺本は梨沙を騙して未公開株を購入させようとしていた。作品を褒めたり、プロモーションの企画案を出したり、いかにも熱心な編集者を演じながら、内心で人のことを金づると思っていたのだ。

すべてが嘘だったのだろうか。目的は梨沙から金を引き出すことだとしても、作品自体はおもしろいと思っていた可能性はないのだろうか。出版レベルとまではいかなくても、興味を引かれたからこそ、梨沙にコンタクトを取ったのではないか。

いまさら本の出版までは期待しないが、一度会って話したい。詐欺なら詐欺だったと本人の口から聞きたい。このまま音信不通で自然消滅なんて、中学生の恋愛じゃあるまいし、気持ちの整理がつけられない。

ふと、大福のことを思い出した。寺本が飼っているパグの名前だ。あの男はスマートフォンに保存した愛嬌のあるブサカワな犬の写真を、嬉々として何枚も見せてきた。あれはおそらく演技ではない。ショッピングモールで見かけた、犬のおやつを選ぶ後ろ姿を思い出しても、犬好きなのは間違いないだろう。

犬を飼っているのは事実。

生活圏もわかっている。

「捕まえられるかな、あいつのこと」

問いかけてみると、コロンは待ってましたと言わんばかりに立ち上がった。

第四章　殺人者と犬

1

目の前を通過するカップルの男のほうと目が合い、梨沙はとっさに目を伏せた。

「知り合い？」

「違う。なんかこっち見てくるなと思って」

「自意識過剰なだけじゃないの？」

「違えよ。本当にこっち見てたんだって」

そんな会話が遠ざかる。

ぱっと見、寺本によく似た雰囲気だったので、つい凝視してしまった。

恥ずかしさを紛らわそうと隣に座ったコロンの背中を撫でると、コロンは黒目を動かして梨沙を見上げた。

梨沙とコロンがいるのは、ショッピングモールの駐車場に設置されたベンチだった。ベンチに腰掛け、モールに出入りする客の顔を確認している。人の出入りがあるたびに店内で流れるクリスマスソングが漏れ聞こえてくるこの場所は以前の職場にも近いのだが、元同僚たちが休憩時間に利用するであろう出入り口とは反対側なので、顔を会わせる可能性は低い。ペットショップを利用するなら、こちら側の出入り口のほうが近いのだ。

元同僚たちには会いたくないが、万が一出くわしたとしても気にすることはない。もう辞めたし、関係ない。徳永に顔を会わせるのはさすがに気まずいが、だからどうしたという顔で開き直ってやる。

そんなことよりも寺本だ。

コミット出版編集部に電話して衝撃の事実を知らされてから、三日。いまだ寺本からの連絡はないし、送った写真に既読すらついていない。最初のうちはアクシデントの心配をしたが、ここまで連絡がつかないとなると、ブロックされたのだろう。あの詐欺師め。逃げようとしたってそうはいかない。ぜったいに捕まえてやる。梨沙はコロンをキャリーケースに入れてレンタカーに乗せ、ここまでやってきたのだった。寺本を捕まえてどうするのか、自分がなにを求めているのかもわからない。実は寺本が別の出版社で仕事をしていて、そちらで話を進めてくれるかもしれないとか、連絡が取れないのも、なにかの手違いでブロックしてしまっていたとか、スマートフォンを紛失して誰とも連絡が取れなくなっていただけだとか、頭の片隅で甘い期待を捨てきれない自分も否定できなかった。あるいは、すべてを失って時間と体力を持て余しているだけかもしれない。自分で自分がわからない。とにかく寺本に直接会って話したかった。でないと納得できない。結局それがすべてなのだろう。自分を納得させたいのだ。

「あら、かわいい」

ショッピングモールから出てきた老婦人が、コロンを見つけて破顔する。コロンもお尻を浮かせて立ち上がり、尻尾を振って何歩か前進した。

老婦人は買い物袋を左手に提げていた。食べ物の匂いに誘われたのか、コロンが買い物袋に鼻を近づける。

「こら、ダメ」

梨沙がリードを引いて叱ると、老婦人は「いいのいいの」と手を振った。

「美味しそうな匂いがするものね」

嬉しそうにコロンに語りかけ、その頭を撫でる。

「うちにもね、先月までワンちゃんがいたの」

「そうなんですか」

老婦人は嬉しそうに頷く。

「死んだ夫が拾ってきた捨て犬だったのだけど、私、実は犬が苦手でね。小さいころに犬に咬まれたことがあって、怖かったの。だから犬を胸に抱いて帰ってきた夫を見たとき、離婚を考えたわ」

「酷（ひど）いですね」

犬嫌いの妻がいながら犬を連れ帰ってくるなんて、無神経にもほどがある。自分が老婦人の立場なら、ひそかに離婚したがっている夫が、自分を嫌いになるよう仕向けているのではと疑うかもしれない。

本当に自分勝手な人だったと呟く老婦人は、いまとなってはあの自分勝手さが懐かしいという感じの顔をしていた。

「でも、こんなに小さい赤ちゃんだったマル……あ、飼っていた犬はマルっていう名前だったんだけど、マルを抱っこしたとき、私の中でなにかが変わったの。すごくちっちゃくて、あたたかくて、キューキューって弱々しく鳴いててね。ああ、この子は誰かが守ってあげないと生きていけないんだ。そう思ったの。それまでは、犬なんてなにを考えているかわからない、凶暴な獣みたいに思っていたのに」

「わかります」

コロンと暮らし始めて、まだ三日。しかしその三日は、梨沙にとって大いなる発見の連続だった。犬には豊かな感情がある。喜怒哀楽があって、それを全身で表現してくれる。もちろん、アニメ映画などに出てくる、人間と同等に思考して意思伝達できるような都合の良いキャラクターとは違うが、たしかにコミュニケーションが成立する。

動物と暮らした経験のない梨沙にとって、犬が喜んでいるとか笑っているとか悲しんでいるというのは、人間の勝手な解釈に過ぎないと思っていた。だが違う。犬は実際にいろいろなことを考えている。飼い主の喜びを察して笑顔になるし、悲しみを察して寄り添おうとしてくれる。

「夫は早死にしたけど、マルは十八歳まで生きてくれたの」

「そんなに、ですか」

「ええ。あの人が急に亡くなったものだから、独りで残されていたらと考えると、ぞっとする。でもマルがいてくれたから、寂しさにも耐えられた。ほら、犬って人間が悲しいのを察してくれるじゃない」

「そうですね」

泣いていたときに唇を舐めてきたコロンの行動は、けっして気まぐれなどではない。梨沙を慰めようとしたのだ。

「だから、いまでは夫のわがままに感謝しているの。マルがいなかった人生なんて、私にはもう想像すらできない。毎日のお世話が大変だったり、旅行できなかったり制限はあったけど、それ以上の愛情と幸せをくれた。もう一度人生をやり直すことになっても、マルと一緒の生活を選ぶと思うわ」

しゃがみ込んだ老婦人の顔を、コロンがペロペロと舐める。止めるべきか迷ったが、彼女が嬉しそうにしているのでそのままにさせた。

「ありがとうね。あなたもたくさんやさしくしてもらって、元気で幸せに過ごしてね。あなたは楽しく毎日を過ごすのが仕事」

老婦人がこちらを見た。

「この子、お名前は？」

「さ……」さくら、と口をつきかけて、言い直す。

「コロンです」

「そう。コロンちゃん、元気でね。またね」

コロンちゃんを触らせてくれてありがとうございます、と礼を言い、老婦人が去っていく。

コロンはしばらく老婦人の去った方角を見つめていたが、やがて梨沙に視線を戻した。

私は「さくら」じゃないの？

問いかけるような顔だ。

なぜいま、犬の名前を「さくら」と紹介するのを躊躇（ためら）ったのか、なぜ「コロン」と紹介したのか、自分でもわからない。

この子はコロンという名でかわいがられ、愛されてきた。別の名前で呼ぶことで、その愛された記憶を否定してしまう気がした。

「おいで」と手招きすると、コロンは尻尾を振って歩み寄ってきた。梨沙のデニムの太股に、顎を載せる。

「あなたにも、赤ちゃんのころがあったんだよね」

当たり前だ。犬にも人間にも、成長の過程がある。無垢（むく）だった赤ん坊のころが、必ずある。

コロンはきっと、ぬいぐるみのようにかわいかっただろう。しかも賢く、穏やかでやさしい性格。真鍋や神田のしつけの成果もあるだろうが、生来の気質のようにも思える。

それなのに、どうして捨てられたのか。

「コロン」

呼びかけに反応し、コロンはこちらを見上げた。

この子はコロン。しかし以前は、コロンでもなかったかもしれない。コロンでもさくらでもない、別の名前で呼ばれていた時代があった。そのときの記憶が、この子には残っているだろうか。残っているとすれば、それはこの子にとって幸福なことなのか、不幸なことなのか。かつての飼い主が恋しくなることはあるのだろうか。

「あれ？」と聞き覚えのある声がして、両肩が跳ねた。息が詰まり、全身が粟立つ。

顔を上げると、案の定だった。

中岡が歩み寄ってくる。

「小筆さんじゃない？」

キャップを目深にかぶり直してみるが、もう遅い。

「どうも」

口角を軽く持ち上げ、小さく会釈した。

「なにやってるの、こんなところで。引っ越したんじゃなかったの」

「引っ越しました」

「それなのになんで」

梨沙とコロンの間で視線を往復させる。

「これが、小筆さんの犬？」

「そうです」

コロンは小さく尻尾を動かしたものの、中岡の興味が自分に向いていないのを悟ったように、すぐに尻尾を垂らした。

「犬の散歩？　ってことは、引っ越し先は近所なの？」

「いいえ。近くはないです」

「じゃあなんでここにいるの、犬まで連れて」

中岡からすれば、たしかに不思議だろう。

「この近くに友人が住んでいるので、遊びにきたんです」

「この近くってどこらへん？」

「あの通りの向こうです」

駐車場に面した道路の向こう側を指さした。背の低い家が軒を連ねる住宅街が広がっている。

ふうん、と中岡は気のない声を出した。

「この前は、すみませんでした」

この男はすべて知っているのではないか、口封じしようとしているのではないかと疑心暗鬼になり、逃げ出してしまった。もう二度と会うこともないから、気分を害しようが関係なかった。

寺本を捕まえるつもりが、よりによってこっちに会ってしまうとは。

「いいよ。おれもしつこくしすぎたかなって反省してたんだ。あの後、謝りたくて店に行ったんだけど、小筆さん、あのまま辞めちゃったでしょう。最後に嫌われちゃったかな……って」

そんなことないですと否定して欲しそうな言い方だったが、梨沙の口は動かなかった。嫌いというより怖い。当然ながら、中岡の家から死体が発見されたという報道は、まだない。あのまま放置していたらとっくに腐乱しているだろうから、処分したのだろう。だとしたら、どうやって処分したのか。

あの浴室で、中岡が死体を解体する様子が脳裏に浮かぶ。

「そんなことないです」

じゃあ、とベンチから立ち上がった。

「ちょっと待ってくれないか」

「なんですか」

身を固くする梨沙に、中岡がポケットをまさぐり、なにかを差し出してくる。手の平に収まる大きさの、金属製の筒だった。

防犯用の催涙スプレー缶だった。

梨沙は皺だらけの筋ばった手の中にある缶を、じっと見つめる。

「これは……」

「この前、犬の散歩をしていた女の人が襲われたってニュースを見たから、小筆さんにあげようと思って」

「私にですか」

「おかしなやつに襲われたら、こうやって噴きつけるんだ」

中岡が缶をかまえ、暴漢に噴射するふりをする。

「あの後、小筆さんに渡そうと思って、店に持って行ったんだ。そしたら、小筆さんはもう店には顔を出さないだろうし、引っ越し先もわからないからって追い返された。だから自分用に持ってたんだけど、こんな爺さん、襲うようなやつもいないから、あんたが持ってたほうがいい」

「いや。でも……」

「いいから。ちょっと早いけど、おれからのクリスマスプレゼントだ」

強引に押しつけられた。

「ありがとうございます」

このやさしさは本心からだろうか。それとも演技だろうか。

中岡が鼻の下を人さし指で擦る。

「あんた見てると、放っておけなくてさ。なんとなく、自分と似たものを感じるからかもしれない。あんたからすればどこが似てるんだって話だし、余計なお世話かもしれないけど」

この人は、死体のことを知らない——？

そんな気がした。

だとしたら犯人は誰だ。中岡が入院で家を空けることを知っている人間。家族か、友人か、近隣住民か、あるいは病院関係者という可能性もある。

誰かに入院の予定を話したか、中岡に訊いてみようか。

いや、少しやさしくされたからって、ほだされるな。そんな不自然な質問を投げかけて、もしも中岡が犯人だったら……。

「どうかしたかい」

覗き込んでくる中岡から「なんでもないです」と視線を逸らした。

「それにしても、こんなところで会えるなんてな。いま、どんな仕事して——」

「急いでいるので、失礼します」

感情がぐちゃぐちゃだ。そそくさとその場を立ち去った。

2

寺本には会えないまま帰宅した。

レンタカーでの移動が主とはいえ、ほぼ一日屋外で過ごしたので、コロンは疲れたようだ。帰宅すると自らサークルに直行し、内側に敷き詰めた毛布の上で丸くなった。いまもぐっすり眠っている。

梨沙はマットレスの上で、スマートフォンの液晶画面に見入っていた。

表示されているのは『飯田英子』の検索結果だった。ありふれた名前とまではいかないが、姓も名もとくに珍しいものではないため、かなりの数の『飯田英子』が引っかかった。弁護士や医師、大学の研究者など、社会的地位のある『飯田英子』はSNSや所属組織のホームページで顔写真を公開していたりもする。古風な名前のせいか、比較的年齢層は高い。

梨沙は一つひとつのページにアクセスし、死体の人物かを確認した。顔写真が公開されている場合には話が早いが、そうでなくても居住地や年齢などが判断材料になる。梨沙が死体を発見した日より後にSNSを更新している場合も、死体の人物ではない。

飯田英子、六十二歳、茨城県牛久市在住。

情報提供を求めるビラの内容を、いまやすっかり暗記してしまった。行方不明になった彼女が見つかることは、けっしてない。

　かなり根気のいる作業だが、幸か不幸か時間だけは有り余っている。検索結果に現れたページを、一つひとつ丹念に検証していった。

　気づけばすっかり陽(ひ)が落ち、暗がりに液晶画面が浮かび上がっていた。

　自分の食事はともかく、コロンに晩ご飯をあげていないのに気づき、フードボウルにドライフードを盛った。お腹が空いていたらしく、コロンはもりもりとフードを食べ始めた。

　梨沙はその横でスマートフォンを操作する。検索エンジンではめぼしい成果がえられなかったので、ＳＮＳ内での検索に切り替えた。検索エンジンで引っかからなくても、ＳＮＳ内だと結果が異なる場合もある。思惑通り、液晶画面には検索エンジンの結果では表示されなかったと思われる『飯田英子』が並んだ。

　先ほどまでと同じように、顔写真を掲載したアカウントは顔写真で判断し、それ以外のものは居住地や年齢を調べた。個人情報を公開していなくとも、ＳＮＳの場合は投稿の内容からある程度プロフィールを推測できる場合もある。出かけた場所の写真から生活圏が推測できるし、そこから居住地の見当もつく。「友人」とされる人物の写真に写ったのが若者であれば、アカウント主も同年代だと思われるので、目当ての『飯田英子』ではない。

　ふと顔を上げる。コロンのフードボウルは空になっていた。コロンは梨沙の隣で伏せをし、寝息を立てている。

　すでに日付も変わっていた。いったい何時間、この作業に没頭していたのだろう。

なおも作業を続行した。死体の謎に興味があったし、手を動かしていないと落ち着かない。中岡に遭遇してしまったせいか、ずっと地に足がつかない心地だった。

ＳＮＳの検索結果として並んだ『飯田英子』の中に『飯田英子（純恋）』という名前を見つけた。（純恋）とはどういう意味だ。

『飯田英子（純恋）』をクリックし、投稿内容を見てみる。

――一般的に旬のものは波動が高いといわれています。旬の食べ物はみずみずしく、美味しいですよね。春はタケノコや菜の花、春キャベツに新ジャガイモ、夏はきゅうりやトマト、スイカ、秋は松茸（まつたけ）や柿、栗、冬は大根や白菜、カブなど。現代ではハウス栽培などで旬を気にせずにいつでも食べられるようになりましたが、ハウス栽培の食べ物は波動が弱く、おすすめできません。無農薬で、いっぱいに大地と太陽のパワーを浴びながら、愛情たっぷりに育てられた旬のものは、波動が高く、栄養価も高いため、免疫力を高めてくれます。高い波動を生かすには、調理の仕方にも工夫が必要です。電子レンジやＩＨは食べ物の生命リズムを乱し、波動を弱くしてしまいます。

「なにこれ」

見るからに怪しい。それなりに『いいね』がついているのがまた気持ち悪い。コメントもそれなりについていて『その通りです！』とか『電子レンジで調理されたものを食べたら体調が悪くなりました』など、賛同するものばかりだ。

この『飯田英子』は何者だ。本来の目的とは別種の興味が湧いて、プロフィールを開いてみる。

プロフィール写真に設定されている紫色の花は、スミレだろうか。『純恋』はスミレと読むのかもしれない。

年齢も居住地も非公開になっていた。自己紹介の欄には、次のように書かれている。

『波動を高めて元気でハッピーな生活を♡　スミレはＳＭＩＬＥと書きますネ。いつも笑顔で過ごしていれば、波動も高まり健康に過ごせます』

胡散臭すぎる。ともあれ投稿された文章の内容といい、語尾を『ネ』にするセンスといい、それなりに年齢を重ねていそうな印象を受ける。

プロフィール欄にはＵＲＬも記載されていた。アドレスには『ｓｍｉｌｅ』の文字列が含まれている。

ＵＲＬをタップすると、開いたのは個人ブログだった。『純恋のハッピーな毎日』というのが、ブログタイトルらしい。ブログの紹介文には、ＳＮＳのプロフィールと同じ『波動を高めて〜』という文章が記されている。

最新の記事をタップし、開いてみる。『皆さまの波動のおかげでハッピーに♡』というタイトルで、一か月以上前の更新だった。とはいえ、そもそも頻繁に更新されておらず、一か月近く空くのは珍しくないようだ。

『皆さま、笑顔で過ごしていますか？　純恋です。昨日は東京都江東（こうとう）区の夢の島文化会館で波動セミナーでした。たくさんの方にご参加いただき、皆さまのポジティブな波動をいただいて私も元気になりました。笑顔がたくさんの幸せな空間でしたネ。その後は葛飾（かつしか）区のＩさん宅にお邪魔しました。チッチちゃんはIさんからたくさんの愛情を注がれて、とても幸せだったようですネ。いまでもIさんの家から出て行くつもりはないそうです』

激しい違和感に、梨沙は眉根を寄せた。

文脈から察するに、チッチちゃんはIさんが飼っているペットだろう。犬か、猫か、名前の印象から鳥という可能性もある。そのペットが、Iさん宅から出て行くつもりはないとは、いったいどういうことだ。

ほかの記事を読んでいくうちに、謎は解けた。

この飯田英子は『純恋』という名前で、波動セミナーなる怪しげなイベントを主宰している。笑顔で過ごしたり、オーガニック食へのこだわりによって波動が高まり、免疫力が高まって毎日を健康に過ごせるという主張のようだ。ただ『純恋』の活動はそれに留まらず、参加者の自宅に赴いて霊視の真似事を行っていた。死者の波動を感じ取り、その想いを代弁するという理屈らしい。死者といっても、人間ではなくペットの口寄せが専門らしい。なぜ人間は対象外なのかについては、合理的な説明がない。そもそもこの手のスピリチュアル志向に、合理性や論理を求めるのが間違っているのかもしれない。

活動範囲は関東近県なので、茨城県牛久市在住と矛盾しない。ただ本人の顔写真が載っていないので、人物特定ができない。この女は、あの死体の人物だろうか。

ふと思い立って、画面をスクロールさせる。

ブログ内検索窓があったので、タップして文字入力画面に切り替える。

『川越市』と入力し、『検索』をタップした。

検索結果は五件。

そのうち最上位に表示されたのは、一年以上前の記事だった。タップして記事を開く。

『このところの寒暖差で体調を崩していらっしゃいませんか？　純恋です。私はといえば、皆さんからいただいたポジティブな波動と一日一食生活のおかげで元気モリモリ！　毎日セミナーに飛び回っています。昨日は埼玉県川越市Nさんのお宅にお邪魔しました。Nさん夫妻がかわいがっていた秋田犬の梅子ちゃん、本当に愛されていたのですネ。お二人の愛情で私の心もあたたまって、いまでも心がホカホカしています」

後頭部を鈍器で殴られたような衝撃を受けた。

川越市にNというイニシャルの住人は数え切れないほど存在するだろうが、梅子という名前の秋田犬を飼っていたとなると、限られるのではないか。

というか、中岡以外にいないのではないか。

この『純恋』という別名を持つ飯田英子こそが、おそらく茨城県牛久市在住で、行方不明で捜索願が出されている飯田英子。

中岡は飯田英子と面識があった。飯田英子は以前に中岡宅を訪問している。

となればやはり、飯田英子を殺したのは中岡——？

指先から体温が失われる感覚があった。

防犯用の催涙スプレーを渡されたとき、ほだされかけた。こんなに不器用なやさしさを見せる人が、人殺しなどできるわけがないと思った。すべてを打ち明けて、死体のことも訊ねてみようかという衝動に駆られた。思い留まってよかった。殺人者は殺人者の顔をしていない。やさしさなんて、いくらだって演出できる。

どうすればいい。警察に通報するか。だが警察に通報するとなると、梨沙が死体を見た経緯もすべて話さなければならなくなる。当然、中岡宅に不法侵入した事実も。

隣で寝息を立てるあたたかい生き物に目を向けた。コロンは梨沙にぴたりと寄り添い、安心しきっているようだ。

いまや罪に問われるよりも、コロンと引き離されるほうが怖かった。一緒に過ごしたのは、まだたったの数日だ。先延ばしにすればするほど、別れがつらくなる。決断は早いほうがいい。

とはいえ、梨沙が口を噤んでさえいれば、奪われる必要もない生活だった。中岡宅に不法侵入したことも、死体を見つけたことも、自分から打ち明けなければ誰も知らない。殺人者は野放しだが、引っ越して物理的に距離を置いたので、梨沙自身に危険が及ぶおそれもない。飯田英子は気の毒だが、中岡が捕まったところで生き返るわけでもない。どういう経緯や動機なのか想像もつかないが、中岡だって高齢なのだから、殺人を繰り返す可能性だって低いのではないか。

放っておくか。

いまさら変な正義感を発揮したところで意味がない。これまで散々、嘘をついて生きてきたじゃないか。名家の出、名門大学出身、芸能活動をしていた。人に好かれたくて自分を大きく見せようとしたけど、思うようにならず、みんな離れていった。

なのにこの子は。

梨沙は隣で丸くなっている生き物を見た。身体の一部を梨沙の腰のあたりにくっつけ、寝息を立てている。毛並みを撫でてやると、軽く揺れた尻尾が、胡座をかいた梨沙の太股を叩く。

――犬ならいいかな、と思ったんだ。

鼓膜の奥に徳永の声が蘇った。

あのときははらわたが煮えくり返った。人間に好かれるのなんて諦めて、犬と一緒に過ごしていろと突き放された気がした。だがあの男の言った通りだった。自分を飾らなくともすべてを受け入れ、許容してくれる存在は、こんなにも心を穏やかにしてくれる。相手が人間か、犬かなんて、関係なかった。

私は、私を受け入れて欲しかった。

ただそれだけのために、嘘で自分を塗り固めた。本当の自分に自信がなさ過ぎたから。本当の自分をさらけ出したら、好きになってもらえるはずがないと決めつけていたから。

言葉すら通じない存在と、こんなに深い絆(きずな)を感じるようになるとは考えてもいなかった。コロンがどう感じているのかは知るよしもない。一方通行の絆かもしれないが、梨沙にはすでにかけがえのないものだった。

「どうしたらいいのかな、私」

身体を撫でながら問いかけると、コロンがこちらを振り仰ぐ。こちらの意図を推し量ろうとするかのようにしばらく梨沙を見つめていたが、やがてまぶたを閉じてうつらうつらとし始めた。

そのしぐさからにじみ出る健気さとかわいらしさに、胸の奥がきゅっと締め付けられる。

「ごめん。起こしちゃったね。寝てていいよ」

軽くコロンの背中を叩いたそのとき、スマートフォンが振動した。

液晶画面を確認すると、知らない番号からの着信だった。すでに深夜二時。こんな時間にかけてくる相手に心当たりはない。『拒否』をタップしようとして気づく。

発信者の電話番号の末尾が『一一〇』だ。

悪い予感しかないが、いま電話に出ないで先延ばしにしても、さらに事態が悪化するだけだろう。『応答』をタップして、電話を耳にあてる。

『もしもし、小筆梨沙さんの携帯電話でよろしいでしょうか』

ややハスキーで事務的な口調の男性だった。

「そう、ですが」

『私、警視庁六本木警察署地域課のヨネダと申します』

やはり警察からだった。全身が緊張する。

「なんでしょう」

用件を訊ねながら、変だなと思った。ヨネダは、警視庁六本木警察署所属と名乗った。飯田英子の死体や中岡宅への不法侵入にかんすることなら、埼玉県警か茨城県警の管轄になるはずだ。

『寺本という男をご存じですか。寺本直樹』

「はい」

すっかり混乱した。なぜここで寺本の名前が出てくる？

『本人はあなたの担当編集者だと主張しているのですが、本当ですか』

「え」と発したきり、言葉が出てこない。あの話は嘘だったんじゃないのか。そもそも寺本はとっくにコミット出版を退職していて、書籍化できる権限などない。いまは森山豪太郎の手足として動き、投資詐欺まがいの行為に手を染めていた。認めるのは癪だが、梨沙もカモの一人に過ぎなかった。

『お住まいはどちらですか』

一瞬、答えに詰まったが、ここで虚偽を述べるわけにはいかない。現住所を伝えた。

『キングスキャッスル六本木ではない？』

「違います」

ほれ見たことかという感じに、ヨネダがため息をついた。

『いやね、寺本がキングスキャッスル六本木というマンションに不法侵入したんです。たぶんテレビかなにかでご覧になったことがあるかと思いますが、六本木のど真ん中に建っているタワーマンションです』

自分が住んでいる設定なのに、あれはキングスキャッスル六本木という名前だったのかと、初めて知った。

『オートロックをくぐり抜けて一部屋ずつ訪ねて回っていたのを住人に通報され、逃げようとしたところを警備員に取り押さえられたそうです。寺本は出版社で編集をしていて、自分が担当するマンガ家に会いに来ただけだと主張しています。そもそも編集者がマンガ家の住所を知らないなんてこと、ありえるんですかね？　あなた、本当にマンガ家さんですか？　あの男の言っていることは本当なんですか？』

質問攻めに圧倒されていると、『すみません』とヨネダから謝られた。

『とにかく寺本がベロベロに酔っ払っているから、話にならないんです。こっちとしても逮捕するほどのことじゃないので留置していますが、もし本当にお知り合いだったら、迎えに来てもらえませんかね』

終電の時刻はとっくに過ぎている。レンタカーも返却してしまった。これから迎えに行くとなればタクシーだ。川口から六本木までの料金を考えると気が重い。それでもいま断れば、次に寺本を捕まえる機会は巡ってこないかもしれない。

「わかりました。うかがいます」

梨沙は通話を終えると、慌ただしく身支度を整え始めた。

3

六本木警察署の玄関を出るや、寺本は腰を直角に折って頭を下げた。

「すみませんでした！」

「もういい」

「酔っ払って作家さんの家に押しかけようとするなんて、編集者失格です。本当に申し訳ない」

「もういいって。顔を上げて」

指示通りに顔を上げた寺本の頬めがけて、思い切り平手を振り抜いた。

乾いた音が響き渡り、近くを歩いていた制服の女性警官がぎょっとした顔でのけぞる。

寺本の横顔が、こちらを向いた。なにが起こったのか理解できていないらしく、狐につままれたような顔をしている。

ようやく始発が動き出した時間だが、すぐそばの麻布通りからは、往来する車のエンジン音がひっきりなしに聞こえている。埼玉ではこんなことはない。

男性警察官が心配顔でこちらに近づいてくるのを、大丈夫です、と視線で制し、梨沙は寺本に視線を戻した。

「夜中に呼び出されたのは、迷惑したけど怒っていない。私もあなたのことを捕まえようとしていたから、迎えに来て欲しいという警察からの電話は渡りに船の申し出だった。私がムカついているのは、いまだにあなたが編集者ヅラをしていること」

「連絡しなかったのは、申し訳ありません。このところ忙しくて……」

「嘘つけ。私のことをブロックしただろ」

「いや。え、と……」

まだ認めないか。

「コミット出版に電話した。あなたはとっくに辞めたって聞いた。いまは森山豪太郎の手足として、投資詐欺みたいことをやってるって」

「なんですか、その話」

「しらを切るの」

「しらを切るもなにも、なんのことだか」

「だったらここで大きな声で話したってかまわないわよね。あなたがかかわっている投資詐欺について」

語気を強めながら言うと、「待ってください」と口を手で塞がれた。

「勘弁してください」

「なにが。身に覚えがないならいいじゃない」

寺本の手を振り払い、両手で胸を押した。なおも近づいてこようとする寺本を、こぶしを振り上げて威嚇する。

周囲を気にしながら、寺本が小声で提案した。

「場所、変えませんか」

時間的に空いているカフェもないので、夜明け前の寒空の下、六本木通りに面した小さな公園のベンチで話すことにした。

「本当に申し訳ありませんでした。騙すつもりはなかったんです」

あらためて頭を下げられた。もう一発お見舞いしてやろうかと思ったが、ぐっと堪えて近くの自動販売機で購入した缶コーヒーのプルタブを起こす。ひと口飲むと、あたたかい感触が喉から胃へと滑り落ちていった。吐き出す息が白い。

　両手で缶のぬくもりをたしかめながら、梨沙は偽編集者を睨んだ。

「騙すつもりがなかったのなら、どうするつもりだったの。あなた、いまなんの仕事をしているの」

「いまは、なにも」

「無職ってこと？」

　頷きが返ってきて、ベンチから崩れ落ちそうになる。この期に及んで頭の片隅では、コミット出版以外の出版社に勤務していて、梨沙のマンガを書籍化してくれるのではないかという淡い期待が残っていたらしい。そんな自分に驚いたし、失望する。

「モリゴーは？　あの人の手足として、なにかやってたんじゃないの」

「なんか、嫌われちゃったみたいで」

「なにそれ」

「あれだけ成功するぐらいだから、癖があるんですよ」

　寺本は缶コーヒーのラベルをしきりに見返しながら「なんだこれ、微糖のわりに甘すぎないか」とぶつぶつ文句を言っている。

「モリゴーは世間から思われてるほど、お金持ちじゃないって」

「実際に金を持ってるかとか、仕事ができるか、人に慕われてるかが問題じゃないんです。そういうふうに見せることで金が集まってくるし、仕事も人も寄ってくるんです」

「完全に詐欺師の理屈じゃないの」

「程度の問題じゃないですかね。多少、話を盛るなんて誰でもやることじゃないですか」

いろいろ言いたいことはあるが、呑み込んだ。森山豪太郎を手厳しく糾弾すると、批判の言葉がすべて自分に返ってくる身の上だ。

「ところで、誰がそんなこと言ったんですか」

「コミット出版の編集者。名前は知らないけど、あなたがモリゴーに感化されて会社を辞めたって言ってた」

「ならたぶんサイトウさんだ。あの人、モリゴーさんのこと嫌いだったから。男だったでしょう？　四十歳ぐらいの」

「年まではわからないけど、男だったし、若くはなさそうだった」

「サイトウさんで間違いないと思います。あの会社、編集部五人しかいないし」

そんな小所帯だったのか。

「サイトウさん、元気にしてましたか」

「知らない。電話で話しただけだから。声は普通に元気そうだったけど」

「そうか。おれ、後悔してるんですよね。サイトウさん、おれがコミット出版を辞めるのを引き留めてくれたんです。モリゴーみたいな他人から詐取することを仕事だと思っているような虚業家についていったところで、いつ切られるかわからないぞって。人に金を出させるのに躊躇のないやつは、人を切り捨てるのにも躊躇がない。たしかにその通りでした。いまになってあの言葉が身に沁みてます」

「私だって後悔してる」

　口を滑らせた後で、しまったと思う。

「なにをですか」

「なんでもない」

　本当は犬なんか飼っていなくて、タワマン暮らしのセレブでもないし、やさしくハイスペックな夫も実在しない。非正規のワンルームアパート暮らしで友人もいない孤独な女が、ひそかな楽しみとしてネットで連載していたマンガに書籍化の声がかかり、舞い上がった。架空の犬を実在のものにするために、嘘をついて法を犯して、あげく死体まで発見した。仕事も辞め、残ったのは犬だけだ。

　強い風が吹いて、目の前を白いビニール袋が横切った。そういえば、警察署からこの公園に来る途中にコンビニがあったなと、どうでもいいことを考える。視界の闇に、青が混じり始めていた。

　唐突にぶるりと震えが来て、梨沙は自分を抱いた。それほど寒いと感じていなかったが、じっとしていたせいで身体が冷えたらしい。だからといって場所を変えて仕切り直すような相手でも、話題でもない。

　コーヒーを口に含み、そばに立つ男を見上げる。

「なんで警察から私に連絡が来たの。彼女は？」

普通に考えれば、迎えに来させるなら同棲中の恋人だろう。

ああ、と寺本は肩を揺すった。

「いません」

「は？」

「正確には、いまは、いません。コミット出版辞めて、モリゴーさんの仕事をするようになってから、うちを出て行きました。モリゴーさんと付き合い始めてから変わったって、よく言われていたんです。タイパとかにやたらこだわったり、他人を利用価値とかで判断するようになったのが嫌だったらしいです。正直いままでは、彼女の言っていたことがわかります。おれ、モリゴーさんに影響されすぎて、すっかり考え方が染まってました。モリゴーさんと付き合っている自分に酔ってました。すごい人と付き合える自分はすごいんだって、錯覚してました。他人を利用しようとしていたし、小筆さんのことも金づるみたいに思っていました。すみません」

やはり騙そうとしていたんじゃないか。

ふと気配を感じて視線を上げる。公園を囲む金網の向こうに、男が立っていた。電柱の陰からこちらをうかがっているような気がしてぞっとしたが、よく見ると男の足もとにはもう一つの影があった。犬だ。ただの犬の散歩だったようだ。電柱の匂いを嗅いでいる。犬は後ろ脚を持ち上げておしっこをすると、歩き出した。

「かなり年いってるな、あれ」

梨沙と同じ方向を見ながら、寺本が呟く。

「そういう言い方するの、失礼じゃない」

寺本から怪訝そうに目を細められた。

「人間じゃなくてワンコの話ですよ」

「言われなくてもわかってる」

嘘だった。勘違いしていた。

寺本が散歩中の男に視線を戻す。

「見た感じ、十歳は超えてるんじゃないですかね。でもまだちゃんと自分の脚でお散歩できているし、きっと大事にされてきたんだろうな。十年以上、毎日毎日一人と一匹でああやって散歩してきたんだろうって思うと、エモいですよね。なんかぐっと来ます。やっぱ犬っていいいな」

しみじみとした口調に、梨沙は弾かれたように顔を上げた。

「大福は？　もしかして実在しないの」

まさかそこまで嘘だったのか。

「実在はします。ただ、彼女が連れて出て行っちゃったんです。彼女がいないのはなんとかなっても、大福がいない生活は自分にはしんどすぎて……寂しくて寂しくて。で、ＳＮＳで犬の写真とか動画とか、見るようになったんです」

ため息をついた寺本は、ひと回り萎（しぼ）んだようだった。

「それで私のマンガを？」

「はい。最初は普通に楽しく読んでました。さくらちゃんかわいいし、小筆さんのセレブ生活も、なんか鼻につくけど興味深くはあったし」

鼻につく、というのは気になるが、話の腰を折りたくない。黙って先を促した。

「でもそのうち、小筆さんがやたら旅行しているのが気になって、しかもさくらちゃんも同行しているようなことが書いてあるし、海外旅行にまで連れて行ってましたよね。だから、これってもしかして虐待じゃないかって……そう考え始めたんです。お金持ちに飼われるのは幸運に思えて、実はそうじゃないのかもしれない。大事なのは、いかに愛情を注いであげるか、じゃないかって。もちろん、お金をかけるのも愛情表現の一つですが、小筆さんのミースタを見ていると、まるでさくらちゃんがアクセサリーのように扱われている印象を受けてしまって。さくらちゃんがどんなふうに飼われているのか、小筆さんはさくらちゃんにたいして、どんなふうに愛情を注いでいるのかを知りたくて、書籍化依頼のＤＭを送りました」

寺本の本当の目的は、さくらの飼育環境を確認することだったのか。だからやたらとさくらに会いたがったり、おやつを持参するなどして気にかけていた。騙されたのに腹は立つが、いまなら理解できる。ミースタでのさくらの描き方は、完全に自分を引き立てるためのアクセサリーだった。

「もしかしてあなた、私のミースタにアンチコメント書き込んだ？」

「いや、まさか、そんな……そこまではしないです」

両手を振って否定された。本当だろうか。もうなにが明らかになっても驚かない。

「どうして私のことを、急にブロックしたの」

「モリゴーさんに、おまえみたいな役立たずはいらないって言われたんです。小筆さんのほかにも何人か声をかけてモリゴーさんに紹介したんだけど、思うような結果にならなかったみたいで」

「誰も未公開株を買わなかったんだ」

「本を出したいっていう中でも、比較的金持ってそうな人間を見繕って声をかけたのに。あの人はおまえの人選が悪いってキレてたけど、口説き落とせなかった自分も悪いと思うんだよな」

「だから私だったのね」

「いや。あの……」

寺本が気まずそうに自分の髪をかきむしる。

「モリゴーに切り捨てられちゃったら、六本木在住のセレブ妻に利用価値はない。だからブロックしたんだ」

懸命に言い訳を考えているようだったが、観念したように肩を落とした。

「すみませんでした。書籍化に向けて張り切っている小筆さんに、合わせる顔がないと思ったんです」

「いまさら善人ヅラしないでよ。モリゴーに捨てられようが捨てられまいが、最初から書籍化のあてなんてなかったくせに」

はあ、と、どこか気の抜けた相槌を打って、寺本が顔を上げる。

「でも、さくらちゃんのことは、本気で心配していました」

「そっちが本気でも、私にはなんの得にもならないんだけど」

へへへ、と卑屈っぽい笑いが返ってくる。この男、たぶんまったく反省していない。

缶に口をつけた。早くも冷め切ったコーヒーが、身体をあたためてくれることはない。不快な甘ったるさだけが残る。たしかに微糖のわりに甘すぎないか？　と思ったが、意気投合したくないので口には出さない。

「あなたが本気でさくらのことを心配していることぐらいわかる。そうじゃなければ、酔っ払ってタワマンに忍び込んで警察に突き出されたりしない」

「正直、忍び込んだときの記憶はないんです。捕まったときの記憶もないし、小筆さんの名前を出したのも覚えていません。身に覚えはないんだけど、たぶんやったんでしょうね」

「あなたがなにもしなきゃ、私はここにいない」

「ですよね」寺本は後頭部に手をあてた。

「小筆さんがミースタに投稿していた写真をモリゴーさんに見せたことがあって、この背景はキングスキャッスルだって言われたから、小筆さんがあそこに住んでるのは知ってたんです」

梨沙がどこからか拝借した写真の中に、その建物で撮影されたものが交じっていたらしい。いろんなところから写真を盗用しているので、森山豪太郎に見せたのがほかの写真だったら、回答は違ったものになったかもしれない。

「さくらちゃんは、元気にしてますか」

梨沙が返答に窮していると、なにを誤解したのか、寺本の顔が真っ青になった。

「マジですか。まさか、もう……」

「違う。死んでいない」

慌てて手を振って否定する。

死んでいないというのも、ちょっと違うか。

「っていうか、最初から存在していない」

寺本が目を瞬かせる。

「どういうことですか」

「さくらという犬は、実在していないの。ミースタ上にだけ存在する、架空の犬」

すぐそばを走る首都高から降り注ぐ自動車の排気音が、沈黙を際立たせる。

しばらく固まっていた寺本が、ようやく言葉を思い出したようだった。

「いない？」

「そう。いない」

「でも、写真……」

「昔のさくらの写真は、オーストラリア人のトニーっていう人が飼っている、メアリーという犬の写真。そしてごく最近の写真は、あなたからＤＭをもらった後で、慌ててお迎えした保護犬。コロンっていう名前。書籍化依頼のＤＭをもらった時点では犬を飼っていなかったし、飼ったことすらなかった。マンガの内容は、犬を飼っている人の投稿からエピソードを拾って描いた。平たく言えばパクった」

寺本はぱくぱくぱくと何度か口を開け閉めし、何度目かでようやく「マジか」と声が漏れた。それから「マジかよ。信じらんねえ」と両手で頭を抱える。

「だからあんな頻繁に旅行してたんだ。海外にまで犬を連れていくなんて、おかしいと思ってたんだよな」

「旅行もしてない」

「は？」

「あのアカウントに投稿されているのは、すべて嘘。こうだったらいいなっていう、理想の自分。だから、ごっこ遊びみたいなもの」

そうだ。子どものころにやったお店屋さんごっこや、お医者さんごっこ、お母さんごっこ。あれと同じ感覚で、ネット上に理想の自分や憧れの生活を演じていた。

子どもがやれば微笑ましいごっこ遊びなのに、大人がやったら虚言と非難される。現実と虚構の区別がつかないと言うが、区別がついていないのは自分ではなく、受け取る側ではないか。いつ卒業するべきだったのだろう。何歳から、ごっこ遊びが虚言癖とされるのだろう。正直さや正しさはつねに尊いのだろうか。包帯を高々と掲げる鬼女の勝ち誇ったような笑顔を思い出すと、梨沙にはとてもそう思えない。

寺本が大声を上げた。

「嘘だろ？」

「嘘じゃない」

「あの豪華なディナーやら、旦那からのプレゼントのエルメスとかプラダとかは？」

「あれもぜんぶ嘘。ほかの人がＳＮＳにアップした写真をトリミングしたり、バレないように加工して載せてた」

「じゃあ、セレブじゃないの」

「セレブじゃない。元携帯ショップの店員で、いまは無職」

迷惑駐車でもしている車がいるのか、遠くから何度もクラクションが聞こえてくる。プーッ、プッ、プッ、プーッ。その音が聞こえなくなるまで、寺本は身じろぎ一つしなかった。

やがて上体を後ろに反らせながら天を仰ぐ。

「おい、ふざけんなよ。ぜんぶ嘘だったっていうのか」

「あなたに言われたくない」

「無職同士が編集者とマンガ家のふりしてたのか。おれら、なにやってんだ」

目もとを手で覆っていた寺本が、続く梨沙の言葉で弾かれたようにこちらを見る。

「ついでにいうと、私たちは川越市民同士」

「マジか。あんた、川越なの」

「あんたって失礼ね。私のほうが年上なのに」

「知らねえよ。あんたはあんただ。もう編集者とマンガ家じゃないんだから、いいだろ……で、あんたも川越なのか」

「いまは犬と暮らすために川口に越したけど、つい最近まで川越だった」

あのショッピングモールでペット用のおやつを選ぶあなたを見かけたこともある。そう言ってショッピングモールの名前を告げると、「あのとき、あんた、すぐ近くにいたの？」と寺本は眼球がこぼれ落ちそうなほど目を見開いた。

「いた。後ろから見てた」

「ってことは、あんたが働いてた携帯ショップって」

寺本が『もしもしショップ川越店』の場所を告げる。ショッピングモールとは通りを挟んだロードサイド店だ。

「そう。そこで働いてた。あなたのせいで辞めることになっちゃったけど」

「おれのせいじゃない。あんたが嘘ついてたのが悪いんだろ」

「あなたも嘘ついてたけどね」

「じゃ、おあいこだ」

腹が立つが、お互いに非があるので相手を厳しく糾弾することもできない。なんともすっきりしない、気まずい決着になった。

寺本は同じ場所をぐるぐる歩き回りながら、「あー」とか「なんだよー」と行き場のない感情を吐き出している。それからおもむろにスマートフォンを取り出し、操作し始めた。梨沙のミースタの投稿を確認しているようだ。

「言われてみれば最近のさくらの写真は、前のやつとちょっと違う。前は全身を写したような構図が多かったのに、最近はアップばかりだ……ってか、前の写真、けっこう消えてる？」

梨沙は肯定の意味で両肩をすくめた。

「コロン」

「コロン？」

「その子の名前はさくらじゃない。コロンっていうの」

「なんでコロン？」

「知らない。保護施設でそう呼ばれていただけだから」

「コロンか」

寺本があらためて液晶画面に視線を向ける。コロン、コロン。響きをたしかめるように口の中で何度か繰り返した後で、梨沙を見た。

「あんた、この子どうするの」

「どう……って」

「だって、おれがマンガの書籍化を打診したから、慌ててコロンをお迎えしようとしたんじゃないのか。書籍化の話が嘘だったら、あんたにとってコロンの存在価値がなくなるってことだよな。手放すのか」

寺本の指摘通り、当初の目的に則(のっと)れば、いまの梨沙にコロンの存在価値はない。

それなのにコロンを手放すという選択肢が、いまのいままで消えていた。手放したほうが、生活が楽になるのは間違いないのに。

コロンを手放す。初めて具体的に考えてみて、恐ろしくなる。

「そうなるとコロンもかわいそうだよな」と、寺本が腕組みをした。

「保護犬だろ。せっかく新しい家族が見つかったと思ったら、また元の保護施設に返されるなんて。狭いケージに閉じ込められてさ。レンタルビデオじゃないってのに」

「でも、コロンは預かりボランティアのところで、とても大切にされていたみたい。広い家で自由に歩き回っていたから、ケージに閉じ込められることはないと思う」

「ならいいのかな。コロンだって自己実現の道具にされるより、ちゃんと愛されるほうが幸せだろうし」

ちくりと胸が痛む。梨沙にとってコロンは自己実現の道具に過ぎなかった。いまは違うと言ったところで、信用してもらえないだろう。

ふと、寺本がなにかに気づいたような顔をした。

「あんた、結婚してないんだよな？」

「うん」

「一人暮らしなのか」

梨沙は頷いた。

「だったらいま、コロンは家で一人きりってことじゃないか。早く帰ってやらないと」

「あなたのせいじゃないの」

「悪かったよ。おれのせいでコロンに寂しい思いをさせるのはかわいそうだから、早く帰ろう。早く早く」

肩を叩いて急かされたので、缶に残ったコーヒーを飲み干した。ベンチから腰を浮かせたとき、東の空が赤く燃えているのに気づく。朝焼けなんて見たのは、いつ以来だろう。やけに清々しい気分なのは、早朝の清冽な空気のせいだと思うことにする。

公園を出て地下鉄の階段を下った。

改札を通過したところで、梨沙は立ち止まる。

「ここまででいい」

二人とも埼玉なのでざっくり方向は同じだが、同じ電車には乗りたくない。

「一緒に行く」

「なんで」

「あんたがコロンを虐待していないとも限らない」

「それについては説明したでしょう。海外には連れて行っていない」

「けどいま現在、コロンは一人ぼっちにされている」

「だからそれはあなたのせい」

「犬が寂しい思いをするってわかっていたら、あんたの名前を出したりしなかった」

「泥酔して覚えてないくせに」

「そうだけど、あんたが一人暮らしだってあらかじめ知っていたら、泥酔しててもあんたの名前は出さない」

「他人の犬にお節介焼かないで、自分の犬をかわいがったらいいんじゃないの」

「それができるなら、とっくにやってる」

「なにそれ。やればいいじゃない」

「無理だって言ってんだろ。彼女が会わせてくれないんだ。家に行ったら警察呼ぶって言うしさ、誘拐だよ、あんなの。大福を買うときの金は、半分ずつ出したんだぜ。おれにだって会う権利はあるはずなのに」

ははあ、と含み笑いをする梨沙に、寺本が顎を引いた。

「な、なんだよ」

「コロン……っていうか、さくらは、大福の代わりだったのね。大福に会えない寂しさを埋めるために、ミースタで犬の投稿を漁っていた。そのときにさくらを見つけた。やたらとさくらに会いたがったり、しまいにはタワマンに不法侵入までしたのも、正義感じゃなくて寂しかったからでしょう」

図星だったらしい。寺本が視線をあちこちに泳がせる。

「認めたら、コロンに会わせてくれるのか」

「考えてあげる」

「じゃあ認めるよ。おれは寂しかったんだ」

梨沙は鼻で笑った。

「なんだよ。ちゃんと認めたぞ。コロンに会わせてくれ」

「考えてあげるって言っただけで、会わせるとは言ってない」

「ふざけんな。騙したのか」

寺本の顔が真っ赤になる。

「あなただって私を騙したじゃない」

「あんた――」

「わかった」と手を振った。お互い騙していたのだから、どっちもどっちだ。

「冗談よ。コロンに会わせてあげる」

ただし、と付け加える。

「ここまでのタクシー代、払って」

えっ、と寺本が自分を指さす。

「おれが払うの？」

「当たり前じゃない。あなたに呼ばれたんだから。一万三千五百円」

「高っ」

「自分が悪いんでしょう」

梨沙が領収書を差し出すと、寺本は不承ぶしょうという感じで財布を開いた。それから申し訳なさそうに眉を下げる。

「ごめん。少し待ってもらっていいかな」

「コンビニならすぐそこにあったけど」

この時間でもＡＴＭは使えるはずだ。

「口座には入ってないから」

「じゃあ、どうやって払うつもりなの」

「どうにかするよ、バイトとか」

無理だ。一万円ちょっとをすぐに用立てられないほど困窮しているのなら、アルバイト代が入ったところで家賃や水光熱費に充てるだろう。

そのとき、ふと閃いた。

「じゃ、バイトする?」

「バイト?」

「私の頼みを聞いてくれたら、タクシー代はチャラ。どう?」

「どうって、バイトの内容による」

「そんなこと言える立場なの?」

寺本の表情が、いっきに不安に染まった。

4

犬には犬好きな人間がわかるというが、本当らしい。

嬉しそうに尻尾を振って寺本に歩み寄るコロンを見ながら、梨沙は思った。

「おーよしよし。はじめまして、さくらちゃん。やっと会えたね」

寺本が両手でコロンを抱きしめながら、わしゃわしゃと背中を撫でる。コロンもそれに応えるように、後ろ脚で立ち上がって寺本の顔を舐めた。

「さくらじゃない」

梨沙の指摘に、寺本が、あ、そうかという顔をする。

寺本はコロンを撫でながら、梨沙が出てきたマンションを見上げた。朝日が建物の輪郭を浮かび上がらせている。川口市の住宅街に建つ築四十年の建造物は、隣に建つ新築マンションの引き立て役のようだ。それでも、マンション前の道路は歩道が広く、車道との間にガードレールが設置されているので、犬の散歩には安心な立地だった。道路沿いに植えられた桜はいまでこそ裸の枝をむき出しにして寒々しいが、春になればこのあたりに桃色の絨毯が広がるだろう。満開の桜の下をコロンと散歩する。その光景を想像すると心が弾んだ。

もっとも、桜の季節にまだコロンと一緒なのかはわからないが。

「しっかし、こんなところに住んでる女が、六本木のタワマン暮らしのセレブ気取ってたなんて」

反論の余地はない。クリーム色の外壁には、ところどころヒビが入っている。つい数時間前まで、梨沙を大金持ちだと思い込んでいた寺本にとって、落差は余計に大きいだろう。

「余計なお世話」

こんなところに住んでるからこそ、セレブを気取ってみたかったのだ。

それに、別に誰かを傷つけようとしたわけじゃない。

最初はただの遊びだった。いまだってそうだ。『いいね』や羨望や賞賛のコメントで気分よくなりたかっただけで、寺本からのＤＭが届くまでは、それ以上の欲があったわけでも、なにかを期待していたわけでもない。たんなる逃避だ。暗い趣味かもしれないが、インターネットに作り上げた虚像が、現実の自分を支えてくれた。

あらためて思う。私はなにか悪いことをしたのだろうか。嘘をつくのはよくないと教えられてきたが、嘘をつかないと自分を保てなかった。こうなってみて実感するのは、梨沙が騙したかったのは他人ではなく、自分自身ということだ。

コロンの視線に気づいた。

せっかく外に出たのだから早く歩こうよとでも言いたげに、梨沙を見つめている。まっすぐに訴えかけてくる。なんとなく、コロンの言いたいことがわかるようになってきた。

「ほら、コロンが早く行こうよって」

「そうか。じゃあ、行こう」

寺本がリードを握り、二人と一匹は歩き出した。

歩き出してすぐに、寺本が首をかしげる。

「どうしたの」

「この子って、元保護犬だよな」

「そうだけど」

「保護犬になった経緯は聞いてる？」

「保健所から引き出されたって聞いてる。ただ、以前は人に飼われていたみたい」

「だよな。すごいお利口さんだもんな。普通はこんなふうに、きちんと人間の左側についてお散歩できないよ」

「やっぱりそうなんだ」

「ああ。うちの大福だって、こんなお利口さんに歩けない。あっち行ったりこっち行ったり、メス犬を見つけたら鼻息を荒くしてリード引っ張ったりさ」

　寺本が懐かしそうに遠くを見る。

　薄々勘づいていたが、コロンはかなりきちんとしつけられているし、それに応えるだけの頭の良さもある。たまにすれ違うほかの犬と比べても、その賢さは一目瞭然だ。ほかの犬はコロンほど飼い主に従順ではない。

「コロンって、捨てられたわけじゃないのかもしれないな。なにかの理由で飼い主と離ればなれになって、飼い主はいまもコロンのことを探しているんじゃないか」

　だから飼い主のもとに帰してあげるのが、この子にとっていちばんの幸せだ。寺本はおそらくそう言いたいのだろう。そんなのはわかりきっている。わかっているからこそ、梨沙は聞こえないふりをした。

　コロンの所作は、元の飼い主のもとでいかに大切にされていたかを物語っている。神田や真鍋の愛情のおかげもあるかもしれないが、それだけではない。コロンは飼い主の身勝手な都合で捨てられた犬ではないのだ。元の飼い主はいまもコロンを探しているかもしれないし、コロンにとっても、元の飼い主のもとに戻るのがいちばんの幸せだ。

でもどうやって元の飼い主を探す？

簡単に見つかるなら、真鍋がなんとかしている。元の飼い主のもとに帰してあげたい。だけどそれは不可能だから、私が幸せにしてやるしかない。

寺本と並んで楽しそうに歩く後ろ姿を見つめながら、梨沙は自分を納得させた。

「ところで本当にやるのか」

コロンと一緒に前を歩いていた寺本が、こちらを振り返る。

「怖くなった？」

「そういうわけじゃないけど……起きてるかな」

「年寄りは朝早いから大丈夫でしょ」

顎をしゃくって促したが、寺本は動かない。

「なに？　一万三千五百円払う？」

「それは……」

「ビビってんじゃないわよ。犯罪じゃないし、少なくとも、あなたが捕まる心配はない」

梨沙自身はどうだろう。もしかしたら身元が特定され、逮捕される可能性もある。だとしてもこのまま事態を放置していては、いくらなんでも寝覚めが悪い。

寺本はなおもふんぎりがつかない様子だ。

「そもそも本当なのか、死体を見たって」

「疑うの？」

「あんたには前科がある」

「それはお互いさま」

「お互い嘘つきだっていうのは、あんたを信用する根拠にはならない」

「信用できないっていうなら、別にかまわない。あなたに信じてもらう必要はないし。お金返してもらうだけ」

　寺本が苦いものを飲んだ顔をする。

「おれを騙そうとしていないだろうな」

「騙してどうなるっていうの。あなたが変なＤＭを送ってきたせいで、私は死体を見つける羽目になった。誰だか知りもしない人の死体を触って、死体が見つかるんじゃないか、自分の家じゃないってバレるんじゃないかとビクビクしながら家庭訪問を受け入れたの。これが嘘だとしたら、私の目的はなに？」

「知らないよ。知らないけど、そんなことってあるのか」

　困惑する寺本を残して、梨沙は先を急いだ。置いていかれまいとしたコロンが、寺本を引きずりながら追ってくる。

「誰のせいでそんな目に遭ったと思ってるの」

　梨沙は寺本に一切合切を打ち明けた。さくらを実在のものにするため、保護犬を迎え入れようと考えたこと。偶然にもさくらことメアリーに瓜二つの犬を、保護犬情報サイトで発見したこと。

しかし譲渡してもらうには家庭訪問という関門が立ちはだかったこと。いったんは諦めようとしたが、勤務先の店の常連だった中岡という老人が入院した事実を知り、中岡の家を自宅と偽って家庭訪問を受け入れようと考えたこと。ところが家庭訪問当日に、中岡宅で女性の死体を発見したこと。死体を隠して家庭訪問を乗り切ったまではよかったものの、退院した中岡がなにごともなかったかのように店に現れ、腰が抜けそうなほど驚いたこと。死体の女は飯田英子という名前で、現在行方不明になっているらしいこと。飯田英子は怪しげなスピリチュアルセミナーを主宰していて、死んだペットの口寄せのようなことをしており、以前に中岡の飼っていた秋田犬の梅子の口寄せもしたらしいこと。

もはや自分を取り繕う必要はない。経験したありのままを、自宅マンションに移動する道中で寺本に話した。切り出すまでは勇気が必要だったが、一度話し出したら止まらなくなった。話が終わり、信じられないという顔で目を瞬かせる寺本の顔を見ながら、なぜか爽快な気分になっていた。なぜだろう。この上なくみっともないし、恥ずかしい内容で、違法行為の告白まで含まれているというのに。

警察への情報提供も考えたが、どうしても踏み切れない。かといって、重大な秘密を一人で抱えたまま、なにも見なかったことにして生きていくのも、それはそれで耐えられない。

そこで寺本から中岡に、自首を勧める電話をかけさせることにした。中岡の電話番号はわかっている。しかし梨沙が自分でかけると、声で気づかれてしまうおそれがあった。その点、寺本なら中岡と面識がないし、公衆電話からなら発信元も特定されない。

公衆電話の場所は、コロンとの散歩でチェックしていた。公園のそばにある電話ボックスだ。付近には街頭防犯カメラが設置されていないことも、確認済みだ。

ところが。

「先客いるじゃん」

寺本の言う通り、前方の電話ボックスは使用中だった。浅黒い肌をしたひげ面の男が、受話器を左手で持ちながら、ガラスの壁に背をもたせかけている。

「どこかほかに公衆電話ある？」

「わからない」

引っ越してきたばかりだし、そもそも公衆電話を利用することがないので、普段の生活で意識しない。自分以外に公衆電話を使用する人間がいる可能性など、考えてもいなかった。

「じゃあ、今日のところは撤退ということで」

「それはダメ」

「なんで」

「次いつあなたに会えるかわからないから」

それに、時間を置いたら怖じ気づくかもしれない。

「また来るよ。あんたじゃなくてコロンに会いに」

な、とコロンに語りかける。

「ダメ。電話が空くまで公園のベンチで待ちましょう」

「そこまでする必要あるか?」

「どうせ暇なんでしょう」

公園に入り、二人並んでベンチに腰かけた。

「おやつ、くれよ」

寺本が差し出した手に、お散歩バッグから取り出した犬用のクッキーを載せる。

コロンが嬉しそうに近づいてきた。

「ほら、コロン。おやつだ。良い子、良い子」

美味しそうにクッキーを頬張るコロンの背中を、寺本がやさしく撫でた。さすがに扱いに慣れている。それにしても、犬の扱いが慣れた相手ならばこんなに簡単に心を開いてしまうのか、だとしたら私の立場は?

「本当に犬が好きなのね」

「犬は嘘つかないからな」

「自分は嘘をつくけど」

「あんたもな」

寺本がいたずらっぽく歯を見せる。

「でもさ、嘘つきはよくないし、嘘がバレたら叩かれて当然だと思うけど、嘘をつくのも大変だし、疲れるんだよな」

たぶん以前だったら、共感できなかった。だが寺本にすべてを打ち明けたいまならわかる。すべて正直に話したほうが、間違いなく楽だ。だからといって、今後ありのままの自分で生きられるかというと難しい。今回素直にさらけ出せたのは、事故みたいなものだ。

「でも嘘ついちゃうんだよな。スナック菓子みたいなものだ」

「なにそれ」

「身体に悪いのはわかっているのに、つい食べちゃうってこと」

「上手いこと言ったつもり？」

「上手くない？」

「意味がわからない」

寺本が笑った。

「嘘ってバレなきゃそれが真実だし、実際バレずに成功しちゃう人だっているんだ。逃げ切ったらセーフって、なんかズルいよな」

「森山豪太郎のことを言ってるの」

梨沙の質問に、寺本が頷いた。

「マジですごいよ、あの人は。能力とかそういうのじゃなく、いかに自分を大きく見せるかっていう執念？　っていうの？　そういうところ」

「能力に惹かれていたわけじゃないの？」

「本当に能力がすごい人には、追いつけないじゃないか。ちゃんと勉強してちゃんと努力してる姿なんか見せつけられても、すごいなって思うだけで、憧れの対象にはならない。そういう人に憧れちゃうと、自分も死ぬほど努力しないといけなくなるから。人間ってのは、できるだけ努力せずに成功したいものなんだ。その点、モリゴーさんは憧れとしてちょうどいい」

「そこまでわかってて、モリゴーについていったの」

「いまのはサイトウさんから言われたこと」

「なんだ。また騙したのか」

「あんたが勝手に解釈しただけだろ」

へへっ、と笑った寺本が、コロンに手をのばす。首もとをくしゃくしゃっと撫でられたコロンが、気持ちいい場所を探るように頭を上下させた。

「会社を飛び出すまでは、口うるさくてうざいおっさんだとしか思ってなかったんだ」

「サイトウさんのこと？」

寺本が頷く。

「うちは自費出版がメインだからやりがいはないかもしれないが、一通りの編集業務は学べるから、仕事覚えたらまともな出版社に移ればいい。だから仕事覚えるまで頑張れって、よく言われた。けど、その話をモリゴーさんにしたら、どうして編集者としてベテランのサイトウがいつまでもコミット出版に残ってるのか、仕事を覚えるまで頑張れなんて、若い社員を会社に縛りつけるための口実じゃないか……って。人間は何年も同じ環境に身を置いていると、変化を恐れるようになる。会社に使い潰されるのか、会社を利用してキャリアアップできるかは、上司の言葉に疑問を抱けるかどうかだってそそのかされてさ。いま振り返ると、そのモリゴーさんの発言こそが、おれを人集め要員として利用するための方便だったんだよな」

「会社辞めたこと、後悔してるの」

「当たり前じゃないか。本当に心配してくれる人を切り捨てて、自分を道具みたいに利用しようとしてたやつを選んじゃったんだぞ」

いっつもそうだよ、二択をことごとく間違える。寺本が地面に向けて独りごつ。

一緒だなと、梨沙は思った。愛されたい。幸せになりたい。ただそれだけなのに、どうしても上手く生きられない。

梨沙の脳裏には、徳永の顔が浮かんでいた。梨沙にとってのサイトウは、あの男だったのかもしれない。

寺本が顔を上げ、公衆電話のほうを見る。先ほどの男は、電話機を腕置きにして話していた。

「まだ空かないな」

「気長に待てばいい。一時間もすれば空くでしょう」

「一時間も待てねえよ」

「なんで？」

「なんでって……おれにだって都合ってものが」

「なにか予定あるの？　無職で酔っ払って不法侵入した挙げ句、警察のお世話になって、犬の様子を見るために川口までくっついてきた人に？」

畳みかけるように言葉を浴びせると、寺本が背を丸めて小さくなった。ふてくされたように顔を背け、コロンの背を撫でる。コロンは何度か寺本を振り返りながら、口を開けてリラックスした様子だ。

「ところでさ」と寺本がおもむろに口を開く。「あの爺さん、知り合い？」

「どの？」

「あの大きな木のそば」と、寺本が顎をしゃくった。

梨沙は寺本に示された方向を見た。公園の外周に沿って、桜の木が植えられている。その向こう側の生活道路を、男が歩いていた。スーツを着て鞄を提げ、いかにも出勤途中という雰囲気だが、「爺さん」というには若すぎる。せいぜい五十代じゃないか。

そんなことを考えながらスーツの男を目で追っているうちに、勘違いに気づいた。スーツの男の手前に、もう一つの人影があった。白髪の男が、木のそばにたたずんでこちらを見ている。

「うわっ」

とっさに目を逸らし、顔を伏せた。

「なに。どうした」

白髪の男のほうを見ようとする寺本の袖を、強く引いた。

「見ないで」

「なんでだよ。やっぱ知り合いなのか」

「知り合いっていうか……」

どう説明しよう。知り合いというほどではないが、誰かはわかる。

「まさかあれが、中岡……？」

　寺本が見当違いの推理を口にして、顔色を変える。

「そうじゃなくて」と顔を横に振って、梨沙は続けた。

「この前、この公園でコロンがウンチしたときにウンチ袋を持ってなくて、あの人に声かけられたの」

　あのときの男だ。中岡と同じくらいの年代の、しかし中岡より体格が良くて髪の毛の多い男。

　寺本が男のほうを見ようとするので「見ないで」と小声で注意したが、納得いかなそうだ。

「あの人が、ウンチ袋持ってるから、車から取ってきてあげるって言ってくれたんだけど、戻ってくる前にその場から逃げちゃった」

　軽蔑の視線を頰に感じる。

「あんた、マジで最悪だな。やっぱ犬を飼う資格ないわ」

「車で来てるって言ってたから、そんな頻繁にここには来ないだろうと思ったし」

「そういう問題じゃないだろ……っていうか、なるほどな、だからあの爺さん、ずーっとこっち見てるんだ。なんか視線を感じると思ってたけど、あれは睨んでたんだな」

　寺本の言う通り、男はまっすぐこちらを見据えているようだった。視線だけを動かして確認してみたが、まだこちらを見つめている。気のせいではなさそうだ。

「目を合わせないでよ」

「猛獣じゃないんだから」

梨沙にとっては猛獣と同じだ。目を合わせたら襲われる。ウンチ処理袋を持って戻ったら姿が消えていたのに気づいたときには、相当頭に来ただろう。声をかけてこなければいいのだが。

「計画は中止。公衆電話も空かないみたいだし、今日のところは――」

「あ、空いたよ」

ちょうど公衆電話が空いたらしい。

「もういい」

「なんで。自分の都合でやれって言ったり中止って言ったり、勝手すぎないか」

「勝手でけっこう。コロン、もう帰ろう」

だがコロンは腰を浮かせない。まだここにいたいと抗議するように、梨沙を見上げる。

なんで寺本の味方するの。

むっとしたそのとき、寺本が「もういないよ」と言った。

公衆電話のほうを見ると、誰の姿もない。電話していた男も、こちらを睨んでいた老人も、消えている。

梨沙は視線を動かし、公衆電話の周辺を観察した。誰もいない。

「あの人、なにか言いがかりをつけてくると思ったのに」

「言いがかりって表現は酷くないか。悪いのは一〇〇パーセントあんたなのに。ぜんぜん反省していないんだな」

「してるよ」

してたらそんな言い方しないだろ。寺本はぼそりと呟き、老人の立っていた方角を見つめる。

「けっこう距離もあるし、ウンチを放置して逃げた女だと確信できなかったんじゃないか」

「そうかな」

「それか、なんか言ったところで無駄だと思ったのかもな。バカを注意したところでバカが治るわけじゃない」

言葉の選び方に棘があるものの、その可能性ならありえる。聞く耳を持たない相手に言って聞かせようとしたところで、消耗するだけだ。

電話ボックスに近づいてみても、周囲にひと気はなかった。本当に立ち去ったようだ。

寺本がボックスの扉を開く。

扉は寺本が背中で押さえて開きっぱなしにして、梨沙はコロンのリードを握ってすぐ外に立つ。向こうの声までは聞こえなくても、寺本の反応でだいたいの様子がわかるだろう。

「緊張するわー。公衆電話使うの、なにげに小学生のとき以来かも」

寺本がズボンの太股で手を拭い、電話機の上にあらかじめ崩しておいた小銭を積み重ねた。受話器を握り、こちらを振り返る。

「最初に番号を押して、金入れるんだっけ」

「逆。お金を入れてから、番号を押す」

寺本が投入口に小銭を入れた。あらかじめスマートフォンにメモしていた中岡の番号をプッシュする。

受話器を握る寺本の頬は、緊張で強張っていた。

「中岡……さん、ですか」

つながったようだ。

脅迫にしては低姿勢すぎると思ったが、それを伝えるすべがない。もはや寺本に任せるしかない。

「おれが誰かは、どうでもいい」

あなたは誰だと質問されたようだ。

「こうやって電話したのは、自首を勧めるためです……ためだ」

中岡の話し声が、かすかに聞こえる。懸命に耳を澄ませてみたが、内容までは聞き取れない。

「あんた、人を殺しただろう」

さすがにこの言葉を発するときは、寺本の声が固くなった。

中岡がなにかを話している。

「飯田英子だ。この名前を知らないとは言わせないぞ」

知らないという返事があったらしく、寺本が虚を突かれたように顎を引く。

「純恋という名前で波動セミナーをやっていた飯田英子だ」

い、い、だ、え、い、こ。

一音ずつ区切って名前を告げる。

ややあって寺本が受話器の送話口を手で覆い、こちらに顔を向けた。

「知らないって言ってる」

ありえない、秋田犬の梅子の話をしてと、唇だけを動かして伝えた。

「あんたの犬……そう、あんたが昔飼っていた秋田犬の梅子。飯田に梅子の霊を呼び出してもらったこともあるんだろう……なんだと？　まだとぼけるのか」

救いを求めるような視線がちらちらと梨沙をうかがう。

「いい加減にしろ。知っているんだ。おまえが飯田英子を殺し、死体を処分した。なぜって……見たからだよ、死体を。あんたの家で、飯田英子の死体を見た。ああ、そうだ。間違いなくあんたの家だ。居間から風呂場に死体が移動していただろう。なんでそんなことを知っているのかというと、移動させたのはこのおれだからだ……どうだ。自首する気になったか」

寺本が眉根を寄せる。あまり良い反応は得られていないようだ。

「いいのか？　警察に言うぞ。本当にいいのか？　これが最後のチャンスだ。亡くなった奥さんと梅子のためにも、潔く自首しろ」

突然、寺本の顔色が変わった。

寺本が受話器をフックに叩きつけるようにして電話を切る。

「どうしたの？」

ゆっくりとこちらを見た寺本は、顔面蒼白（そうはく）だった。

「小筆さんか……って」

「えっ？」

「あんたは、小筆さんの知り合いなのかって」

なんでわかったんだよと、寺本は両手で頭を抱えた。

5

自宅マンションの前に到着すると梨沙は歩みを止め、手を差し伸べた。

「このへんで」

「おう」

寺本がコロンのリードを渡してくる。

二人と一匹の横を、チャイルドシートに幼児を乗せた自転車が通過する。この先にある保育園に向かっているのだろう。

「いろいろありがとう」

「また連絡する」

これまででもっともわかりやすい嘘だと、梨沙は思った。

——あんたは、小筆さんの知り合いなのか？　そこに小筆さんがいるのか？

中岡はそう言ったのだという。

公衆電話からの発信だし、寺本は素性を明かしていない。身元特定につながるような失言がなかったのは、隣で聞き耳を立てていた梨沙だってわかっている。

にもかかわらず、中岡から正体を言い当てられ、動転した寺本は電話を切ってしまった。そんな反応をしたら、中岡の指摘が正しいと認めたようなものじゃないか。とはいえ、寺本の驚きも理解できる。後から中岡の発言内容を聞かされ、梨沙も身震いした。

中岡がどうやって梨沙の差し金だと気づいたのか、さっぱり見当もつかない。盗聴や盗撮でもされているのだろうか。もしかしたら引っ越し先の住所も、とっくに知られているかもしれない。この前、ショッピングモールでばったり会ったのも、偶然ではなかったのだろうか。

なにもかもわからないし、だからこそ恐ろしい。

梨沙をマンションまで送る道すがら、寺本は別人のように口数が少なかった。面倒なことに首を突っ込んでしまったという後悔が、すっかり生気を失った横顔から透けて見えた。

「あんた、コロンを返すのか」

「わからない」反射的にそう答えてから、訊き返した。「なんで」

「いや。別に」

寺本の気まずそうな顔で、察した。

今後いつ、中岡が口封じに現れないとも限らない。そうなったらコロンの身も危険に晒されてしまう。

「返す。私にとって、もう利用価値のない犬だもの」

「そうか」

いろいろな感情が混じったような、複雑な反応だった。

「だからもう、あなたともおしまい。編集者とマンガ家の関係でもないし、コロンも保護施設に返すから、虐待を心配する必要もない」

寺本の顔に、今度ははっきりと安堵の表情が浮かんだ。そのことにひそかに傷つく。

寺本はしゃがみ込んでコロンを抱きしめた。

「コロン、幸せになれよ。たくさん食べさせてもらうんだぞ。いつかまた、どこかで会えるといいな」

コロンは寺本の顔をひと舐めした。

寺本が立ち上がる。

「じゃあ、もう行くわ」

「気をつけて」

「ああ。あんたも」

梨沙に軽く手を上げ、寺本は背を向けた。とぼとぼと歩きながら遠ざかっていく背中が、やけに寂しげだった。

二度と連絡はこないし、会うこともない。梨沙にとって生まれて初めて、嘘を介さずにコミュニケーションがとれた存在は、あっけなく目の前から消えた。

「コロン、おうちに帰ろうか」

寺本の姿が見えなくなった後も、戻ってくるのを期待するように遠くを見ていたコロンが、名残り惜しそうに顔を上げた。

リードを引いたが、コロンは動かない。

「帰るよ。あいつはもう、戻ってこないんだよ。いつかまた、どこかで、なんて、あれはただの社交辞令だから。嘘だから。あいつは嘘ばっかりだったんだよ。あんなやつの言うことを真に受けちゃ、ダメなんだよ」

感傷に包まれる。また独りになってしまった。いや、まだだ。まだコロンがいる。これからコロンとの別れが待っている。たぶん寺本とのそれよりも、ずっとつらい別れになる。寺本には保護施設に返すと宣言したし、そうするべきなのも明らかだ。それでも自分にその決断ができるか自信がない。

コロンはペタリとお腹を地面につけ、伏せの姿勢になった。よほど寺本のことを気に入ったようだ。たしかにあの男は犬への接し方が上手かった。そんなに乱暴にやっていいのかという勢いでコロンの身体をわしゃわしゃと撫で回していたが、コロンは喜んでいるようだった。あの接し方を見て、自分は少し遠慮しすぎていたかもしれないと学んだ。

「コロン。いい加減にしなさい」

声を落として叱ってみたが、コロンは腰を上げない。尻尾を振りながら、ハッ、ハッと舌を出している。

「もう。しょうがないな」

しゃがみ込み、コロンの腹に腕をまわした。コロンは腕の中でもがいて逃れようとしたが、ぎゅっと腕に力をこめて抱きかかえる。

「捕まえた。もう逃げられないよ」

　ずっしりと重い、しかしとてもあたたかな生き物の感触をたしかめながら、マンションの外階段をのぼった。コロンを抱えているせいで足もとがよく見えず、万に一つでも転倒するわけにはいかないので、ゆっくりと一段ずつ踏みしめるように進む。

　コロンが腕の中で暴れ、ヒヤッとした。

「なに、コロン。いったいどうしたの」

　するとコロンはワンと吠えた。その悲痛な響きに、抱き方が悪いせいでどこか痛いのかと心配になる。

「大丈夫？　痛くない？」

　コロンが見上げてくる。痛くはなさそうだ。ということは、やはり寺本が去ったのが寂しいのだろうか。そんなにあの男がいいのか、そんなに自分では物足りないのかと、嫉妬に似た気持ちが湧き上がる。

　階段をのぼり終え、廊下を歩いて自室の扉の前に立った。

　コロンを抱えたままバッグから鍵を取り出し、扉を開ける。ノブをひねって扉を少し開くところまでは手で、途中からは隙間に身体を入れ、背中で押して扉を全開にした。

「さあ、着いた。お疲れさま」

　玄関にコロンをおろすと、コロンはすぐさま体勢を翻し、梨沙を見上げた。ワンワンと激しく吠え立て始める。そもそも吠えること自体少ないコロンにとって、かなり珍しい行動だった。

「どうしたの？　コロン。あいつはもういないの。いい加減に——」

そこでコロンの視線が、自分を通り越して背後に向けられているのに気づいた。

はっとして振り返ると、後ろには男が立っていた。

逆光にシルエットが浮かび上がっていて、顔がよく見えない。

だが男の両肩から発散される殺気だけははっきりと感じられ、梨沙の全身が粟立った。

中岡だと思った。寺本が公衆電話から発信したのは、中岡の携帯電話だった。電話する二人を、中岡がどこかで見ているのかもしれないと思った。近くに潜んでいて、梨沙を付け狙っていたのかもしれない。

だが違った。梨沙の部屋の玄関に立っているのは、中岡ではない。年代は近いが、中岡よりももっと体格が良く、髪の毛も多い。

あの男だった。

コロンのウンチを放置して立ち去ろうとした梨沙を注意した男。ついさっき、公衆電話のそばから梨沙たちを見つめていた、あの男だ。

コロンの異変はこういうことだったのか。寺本との別れを惜しんでいるのではなく、迫り来る危機を察知して、梨沙に伝えようとしていた。いま部屋に戻るのは危険だと、懸命にアピールしていた。

そう。これは危機だ。

男がたんに梨沙のマナー違反に怒っているわけでないのは、茫洋（ぼうよう）とした暗い目つきでわかる。

「な、なに……？」

返事はない。男がじりじりと梨沙に迫ってくる。無言で梨沙を見下ろしたまま、後ろ手に扉を閉めようとする。扉が閉まったら終わりだ。自分もコロンも殺される。

そう直感した梨沙は、自分でも信じられない行動に出た。

「コロン！　逃げて！」

コロンを両手で抱え、振り返りざまに扉の隙間に押し込む。

外廊下に押し出されたコロンは、すぐに振り向いて戻ってこようとするが、そのときには扉が閉まっていた。

部屋の外から、狂ったような吠え声が聞こえる。

男は扉の外を気にするようにちらりと視線を動かした後、鍵を閉めた。

6

梨沙は男と見つめ合ったまま、後ろ向きにバタバタと後ずさった。

「あなた、いったい誰。なんなの」

「犬の糞はちゃんと拾え」

「は？」

「犬の糞だよ！　放置して逃げただろうが！」

「それは、ごめんなさい。悪いことしたと反省している。もうしません」

まさかそんなことを根に持って、梨沙のことを付け狙っていたというのか。この男は頭がおかしいのか。

男はおもむろにたすき掛けにしていたボディバッグのストラップを引っ張り、収納部分を身体の前面に移動させた。ジッパーを開け、手を突っ込む。

男が取り出したものを見て、梨沙は息を呑んだ。

刃物だ。

こちらに歩み寄ろうとする男に、梨沙は手の平を向けた。

「待って。そこまでするようなこと？」

「あんたは本来、犬を飼っていい人間じゃない」

会話の行く先が見えない。梨沙は刃物の切っ先をただ見つめていた。

「あんた、他人の家に不法侵入しただろ、犬と」

ぐらりと視界が揺れた。

どうしてそのことを……？

頭の中では疑問が渦を巻いているが、梨沙はかぶりを振った。

「そんなことしていない。誰がそんなことを」

真鍋の顔が浮かんだ。あの女が誰かにしゃべった？　違う。もしそうなら、譲渡の取り消しを通達すればいいだけだ。コロンはまだ正式に梨沙のものになったわけではなく、トライアル中なのだから。

「誰かから聞いたわけじゃない。見たんだ、この眼でしっかりと」

男が人さし指と中指で自分の目を示す。その指先が黒い。爪の間が汚れているのだ。なぜかそんなことが気になった。

「なにを見たの」

「あんたと犬が他人の家から出てくるところをだ」

思考が白紙になりかける。いけない。ここでなにも反論できなければ、あの刃物の先端がこちらを向くだけだ。

考えろ。考えろ。

そのとき、閃きが弾けた。

「野田、さん……？」

意表を突かれたような男の反応で、梨沙は自分の推理が正しいことを確信した。

野田というのは、中岡の隣人だ。中岡の入院中に、中岡の家から犬を連れた若い女が出てくるところを見たと、中岡に伝えている。

次なる閃きに襲われ、梨沙は「え？」と声を漏らした。

川越市のNさん――飯田英子のブログに書かれていたNさんとは、野田のことではないか？

中岡と野田、どちらもイニシャルはNだ。

しかし飯田英子は、秋田犬の梅子の口寄せを行ったとはっきり書いていた。秋田犬の梅子は、かつて中岡が飼っていた犬の名前だ。

いや――。

なぜ中岡の話を鵜呑み(うの)にする？

愛犬と妻を亡くした孤独を紛らわせようと携帯電話販売店に通い詰めるようになった、憐(あわ)れな老人男性だから？

中岡から秋田犬の梅子の話をよく聞かされたが、聞かされていただけだ。梅子の写真を見せられたことすらない。犬好きなら他人の犬の写真を見たがるし、愛犬の写真を見せたがる。寺本がそうだったし、その気持ちは、数日コロンと一緒に過ごしただけの自分でさえ、なんとなく理解できるようになった。それなのに中岡は話をするだけで、肝心の梅子の写真を一枚も見せてくれなかった。

見せてくれなかったのではなく、見せられなかったのではないか。

「野田さん、昔、秋田犬を飼ってた？」

少しぎょっとした様子で、野田が顎を引く。

「なんでそれを知っている？」

「名前は梅子」

驚愕の表情が答えになっていた。

同時にすべてが腑(ふ)に落ちた。

――なんとなく、自分と似たものを感じるからかもしれない。

最後に会ったとき、中岡から言われた言葉だった。

似ていたのだ、本当に。

梨沙と中岡は同じだった。

中岡が梨沙に話していた身の上話は、すべてが偽りだった。梨沙がネット上に理想の生活を作り上げて自分を慰めたように、中岡は梨沙にたいして理想の自分を演じることで、寂しさを紛らわせていた。

中岡は愛犬と妻を亡くした孤独な老人男性ではない。

最初から、愛犬や妻など存在しなかった。

中岡宅に侵入したときの記憶を反芻（はんすう）する。家には犬の痕跡どころか、亡くなった妻の遺影一つなかった。居間の座椅子は一つ、押し入れの布団も一組、コーヒーカップも、一つだけ。妻の死後一年しか経っていないはずなのに、その気配を感じさせるものはまったくなかった。

　コロンに会ったときの態度もおかしかった。寺本が犬に抱きつくようにして全身で愛情を表現していたのにたいし、中岡はまるで犬が存在していないかのようにそっけなかった。そういう飼い主もいるかもしれないが、店を訪れるたびに亡き愛犬のエピソードを披露していた人物の反応としては、違和感が拭えない。中岡は愛犬家ではなく、実際に犬を飼った経験もなかったと考えれば、腑に落ちる。

　中岡のやけに白く、綺麗な手もそうだ。庭いじりが趣味のはずなのに、なぜあんなに手が綺麗なのか不思議だった。庭いじりが趣味なのは中岡ではなく、野田だったのだ。中岡宅の裏庭はとくに手を入れられた様子もなく、スチール製の収納庫にもマンガ雑誌が入っているだけだった。本当に庭いじりが趣味ならあるはずの庭道具や工具は、どこにも見当たらなかった。

　中岡は野田に憧れていたのだろう。梨沙に身の上話をする際、自分自身ではなく、野田から聞いた話をした。隣人の話を自分の体験のように伝えることで、束の間、自分が野田になったかのような気分を味わうことができた。おそらく、中岡がそういうことをしていた相手は、梨沙だけだ。だから寺本からの電話で秋田犬の梅子の話を持ち出され、すぐに梨沙と結びついた。

　中岡は飯田英子殺しには関係しておらず、自宅にあった死体のことも知らない。

　飯田英子を殺したのは野田――。

「飯田英子さん……いや、純恋さんが、梅子になにかした？」

「まさか。あの女と知り合ったのは、梅子が死んだ後だ」

　野田はあっさりと飯田英子とのつながりを認めた。

「どうして純恋さんを殺したの？　彼女は、死んだ梅子ちゃんの声を伝えてくれたのに」

　死んだペットの口寄せとは考えたものだ。死人に口なしどころか、動物は生前から話すことができない。飼い主にとって都合がいい美辞麗句を並べ立ててさえいれば、疑われることもなかっただろう。それだけに、依頼主から恨まれるような失態があったとも思えない。

「あんなものはインチキだ。あの女を信じたことなんか、一度だってない」と、野田は忌々しげに吐き捨てる。

「でも奥さんは違った」

梨沙の指摘に、野田の顔が歪んだ。

「最初から胡散臭いと思っていた。だけど、あの女がやっている波動セミナーとかいうのに通い始めて、生き生きし始めた妻を見ていたら、なにも言えなかった。梅子が死んで以来、目に見えて塞ぎ込んでいたからな。胡散臭かろうが怪しかろうが、元気でいてくれるならそれでかまわないと思った。あの世の梅子の声を届けてくれるっていうのも、適当なことを言っているだけの出鱈目(でたらめ)だとわかっていた。梅子の霊が憑依(ひょうい)したとか言って話すんだが、あの女、パパとかママとかぬかしやがる。梅子がおれたちをそんなふうに呼ぶわけがない。おれたち夫婦は互いを父さん母さんと呼び合っていたからな。おれたちを親だと思っていても、パパとかママなんて言葉、梅子が知るはずもないんだ。それなのに祥子(さちこ)のやつ、涙を流して喜んで……まったく、あんなペテン師にコロッと騙されやがって。あのバカ」

野田が悔しそうに唇を歪める。野田の亡き妻は祥子という名前らしい。

「だからって、殺すことはなかったんじゃないの」

「それだけじゃない」と、顔を上げた。

「おれだってインチキ霊媒みたいな真似だけで、殺したりしない。祥子が死んだ後で、預金残高がゼロになっていることに気づいたんだ。定期預金も積立保険もぜんぶ解約されて、すっからかんになっていた。いまじゃうちを抵当に入れて、ようやく住み続けていられる有り様だ。あの女にぜんぶむしられちまってたんだ」

死んだペットの口寄せをすることで自分に特別な能力があると信じ込ませ、多額の献金をさせたのか。

「中岡さんの家に死体を置いたのは、なぜ?」

「あの女を殺してしまった翌日は、息子夫婦が孫たちを連れてうちに泊まる予定になっていた。死体をうちに置いておくわけにはいかなかった。中岡さんちの合鍵の在処は、あらかじめ聞いて知っていた。お互い年寄りでいつなにが起こるかわからないから、連絡が取れなくなったり姿が見えなくなったら家の様子を見るようにしようって、日ごろから話し合っていた」

　それほどの関係なら、中岡の入院も当然知っていた。飯田英子を殺してしまったとき、死体の一時保管場所として中岡の家を利用することを思いついたようだ。

「いま、飯田さんの死体は?」

「バラバラにして捨てた。あんた、死体を風呂場に移動してくれてたよな。おかげで作業しやすかった」

　吐き気がこみ上げ、梨沙は口もとを手で覆った。あの場所で死体が切り刻まれた。中岡はそんなことを知らずに、毎日湯船に浸かっている。

「中岡さんちから犬を連れた女が出てきたときには、心臓が止まるかと思った。どういう関係なのか、なんの目的なのかは知りようもないが、死体を見たのは間違いないから、ぜったいに警察に通報されると思った。パトカーが集まってきて、うちにも刑事が聞き込みに来る。死体の身元が判明すれば、すぐにおれとの関係も突き止められる。終わったと思った。だが、そうはならなかった。あとで中岡さんちを覗いてみたら、居間にあった死体が風呂場に移動させられていてたまげた。中岡さんからあんたの話を聞かされるまでは、なにが起こったのか理解できなかった」

自分が見た女の素性を探るため、入院時の留守宅から犬を連れた女が出てきたことを、野田は中岡に話した。その後、店を訪ねてきた中岡は、梨沙に犬連れの女の話をする。梨沙から否定された中岡は、そのことを野田に伝えたのだろう。心当たりといえば携帯ショップの小筆さんぐらいしかいないけど、やっぱり違うってさ、という感じで。

「だいたいの経緯はわかった。だけどどうして、私を襲う必要があるの？　私は中岡さんが、飯田英子さんを殺したと思っていた。あなたのことは、存在すら知らなかった」

「死体を見た人間を生かしておくのは危険だ」

「ぜったいに誰にも言わない」

「本当か？」

「天地神明に誓う。言わない。あなたがここに来たことも忘れる」

胸に手をあて、野田を見る眼差しに力をこめた。この眼を見て。私を信じて。

しかし野田から鼻を鳴らされた。

「いま決めた。脅すだけのつもりだったが、おまえを殺すことにした」

「どうして！」

「天地神明に誓うなんて大げさな言葉は、嘘つきの常套句だ。信用ならない。そもそもあんたにたいする信用はゼロだ。他人の家に侵入するし、おれがウンチ袋を持ってきてやるって言ったのに、さっさとその場から逃げた。もともとゼロだったのが、いまの大げさな宣誓でマイナスになった」

　あのとき、野田はウンチ処理袋を車まで取りに行くと言っていた。近隣に住んでいるわけでなく、車であの場所に来ていた。不自然さに気づくべきだった。

「二度とあんなことはしない」

「そんな言葉、信じられるわけがない」

「助けて。お願い」

「ダメだ。あんたがいなくなったほうが、あの犬にとっても幸せだろう」

「コロンは施設に返す」

「もう黙れ。なにを言われても信用できない」

　野田が襲いかかってくる気配を感じた。

　梨沙は後ずさりながら、さりげなくお散歩バッグを探る。指先に冷たい感触があたる。硬い、筒状のそれは、中岡からもらった防犯用催涙スプレーだった。

　野田が刃物を振り上げた瞬間、野田の顔めがけて催涙スプレーを噴射した。野田が刃物を落とし、両手で顔を覆ってうずくまる。

　刃物を奪うか、逃げるか。一瞬、迷ったが、野田の横をすり抜けて逃げることにした。

　大きく足を上げ、玄関でうずくまる野田を乗り越えるようにして着地する。

　だがそこまでだった。

　腕をつかまれ、部屋の奥のほうに力任せに放り投げられた。床にしたたかに背中を打ち付け、呼吸ができなくなる。しかしすぐに起き上がり、体勢を立て直した。

「いってえな。目が見えねえぞ」

野田はしきりに目もとを擦っている。

梨沙は足音を殺して忍び寄り、野田の足もとに転がっていた刃物を奪った。

「おい！　こら！　返せ！」

野田が両手を振り回しながら襲いかかってくる。まだ目が見えていないようだ。梨沙は身体を翻して避けながら、奥の部屋へと逃げ込んだ。

「どこ行きやがった！　畜生っ」

野田は玄関から流しに向かい、蛇口を全開にした。両手ですくった水を顔に叩きつけるようにして、目もとを洗っている。

手にした刃物の切っ先を見つめ、梨沙は考えた。

いまの野田は無防備だ。忍び寄って脇腹を刺すか、それともいっきに背後を駆け抜けて脱出するか。どちらもギャンブルだ。ならば刃物を向けて脅すか。これも腕力で劣る梨沙には危険な賭けになる。捕まって刃物を奪われたら一巻の終わりだ。

どうする。どうすれば……。

梨沙は身をすくませながら、部屋の中を見回した。

7

寺本直樹は立ち止まり、深く息を吐いた。

歩いてきた道を振り返る。とっくに梨沙とコロンの姿は見えない。なにを期待していたのだろう。別れを惜しんで追ってくるとでも？

すぐそばのアパートの開け放った窓から、テレビ番組らしき音声が聞こえてくる。朝八時に始まる情報ワイド番組だ。このところ暇を持て余していて、毎日見ているからわかる。

もうそんな時間か。

寺本はすっかり明るくなった空を見上げた。六本木の公園で梨沙と話したときには寒くて足踏みしたいのを懸命に堪えていたのに、いまは頰にあたる日差しがポカポカとあたたかい。眠くなるような陽気だった。

あの女は、どこまでも嘘つきだ。

保護施設にコロンを返すのかという問いかけに、彼女は躊躇なく返すと答えた。私にとって、利用価値のない犬とまで言い切った。

そんなわけがない。本当にそう思っているのなら、中岡宅で経験したことを包み隠さず警察に話せばいい。不法侵入の罪に問われはするだろうが、殺人犯の逮捕に貢献するのだから、そんなに大きな罰を受けるとも思えない。それなのに寺本を通じて中岡に自首を促すという回りくどい方法を選んだのは、コロンと一緒にいたいからに違いない。

——あんた、コロンを返すのか。

あの質問をコロンの身を案じてのものだと、彼女は解釈したようだった。違う。もしも梨沙がコロンと一緒なら、コロンが番犬になって梨沙を守ってくれるかもしれないと期待したのだった。コロンは賢いし、犬の並外れた聴覚や嗅覚があれば、中岡が接近してきたときにいち早く気づき、梨沙に危機を知らせてくれる。

情けないと思う。彼女の身の安全を犬に託して逃げ出したのだ。なにも知らないコロンに押しつけた、と言い換えてもいい。とはいえ自分の命を危険に晒してまで守るほど、親しい女でもない。面倒なことは他人任せにして、距離を置くに限る。

これまでもずっとそうだった。もっともらしい理屈をこねては、楽なほうばかり選んできた。最小の努力で、最大の結果を求めてきた。汗をかかずに成功したかった。

だったら悪役に徹すればいいのに、それができない。他人からどう見えるかを気にして、良い人ぶったり、かっこつけたりしてしまう。

他人を利用して金儲(かねもう)けしようとするくせに、最後の最後で冷酷になりきれない。騙すことへの後ろめたさがこみ上げて、あとひと押しが足りずに失敗する。その甘さが弱点という自覚はあっても、克服できない。やさしいのではなく、弱いのだと思う。本性は邪悪なくせに嫌われたり憎まれるのは嫌だから、善人にも悪人にもなりきれない。本物の悪人の口車に乗せられて、いいように利用されてしまう。

「結局、中途半端なんだ」

思考が声になって漏れた。

森山豪太郎からカモになりそうなやつを集めてこいと命令されたときも、書籍化の打診に目を輝かせる相手を金づると割り切れなかったし、今回も梨沙に手を貸そうとしながら、最後には怖くなって逃げ出した。しかもコロンに番犬の役割を担わせようなんて、どこまでも意気地なしだ。

そうは言っても無理だ。無理なものは無理だ。殺人者に立ち向かうなんて、自分にはできない。こんな感じで善人にも悪人にもなりきれず、いい人になろうとしたり、やさぐれて悪人になろうとしたりを繰り返しながら、宙ぶらりんで生きていく。きっとそうなのだろう。

ふたたび駅のほうに歩き出そうとしたそのとき、背後から犬の駆け足のような音が聞こえてきた。

振り返ると、足もとにはコロンがいた。

ワンワンと激しく吠えながら、なにかを訴えている。

「どうした、コロン。なんでここに？　なにがあった？」

もちろん、コロンには人の言葉は話せない。それでも、梨沙になにかが起こったのであろうと想像はつく。早くも中岡が襲ってきたのだろうか。公衆電話から電話しているとき、中岡はどこかから見ていたのかもしれない。梨沙が一人になるタイミングを見計らって襲いかかったか。

助けなければ。その思いとは裏腹に、金縛りに遭ったように身体が動かない。引き返した先ではおそらく、恐ろしい光景が広がっている。それは寺本が目を背けたい現実だった。

「そうだ。警察に……」

なにが起こったかすらわからないのに、警察？　通報してなにをどう伝えるつもりだ？

自分の安直な思考にツッコミを入れながら、スマートフォンを取り出す。そのとき右手に振動を感じて、スマートフォンを落としそうになった。

液晶画面を確認すると、ネットニュースアプリの通知が届いていた。

『カリスマ起業家の森山豪太郎氏、出資法違反の疑いで逮捕』

ポップアップの文字が天啓のように思え、はっとした。

ついた嘘は自分に返ってくる。人を騙していると、いつか報いを受ける。

世の中、捨てたものじゃないのかもしれない。

寺本はコロンのリードを手に、踵を返していた。

コロンに引きずられるようにしながら、来た道を引き返す。

コロンは迷うことなくマンションの外階段を駆けのぼり、ある部屋の扉の前に到着した。

「ここか？　コロン」

コロンが扉に向かって激しく吠えたてる。間違いなさそうだ。

寺本がノブを握ろうとしたそのとき、扉が内側から開いた。

部屋から出てきたのは、男だった。年齢は七十歳ぐらいだろうか。二つの眼は瞳孔が開いて、異様な輝きを帯びている。

この男が中岡だろうか。いや、違う。どこかで見たことがあると思ったら、先ほど公園で遠くから寺本たちを見つめていた男だ。梨沙は以前にコロンのウンチを放置しようとしたのを、この男に注意されたことがあると話していた。

なぜこの男が、梨沙の部屋に？

という疑問は、衝撃によって上塗りされた。男の手が赤く染まっていたのだ。寺本の視線に気づいたらしく、男がさっと手を隠す。

そして乱暴に扉を押し開け、寺本の前を通過して小走りで立ち去った。

「ちょっと……あんた！」

追いかける勇気はない。

とにかく梨沙の安否確認が優先だ。さっきの男の手が赤かったのは、たぶん血だ。梨沙の血でないといいのだが――。

玄関に立ち入ろうとした瞬間、二間続きの部屋の最奥に、デニムパンツの脚が見えた。梨沙が床に横たわっているようだ。

先に飛び込んだコロンを追って、部屋に入る。

そして息を呑んだ。

梨沙の腹のあたりがどす黒く染まっていた。そばには刃物が落ちていて、刃の部分にべったりと赤い液体が付着している。

「嘘だろ？　嘘だろ嘘だろ嘘だろ」

梨沙の横にひざまずき、両手を宙に彷徨（さまよ）わせながらおろおろとする。こういう状況でなにをどうするのが適切なのかわからない。抱き上げて「大丈夫か」と揺さぶったりするシーンを映画やドラマで見かけるが、あんなふうに扱って、助かるものが助からなくなったりする可能性はないのだろうか。

恐る恐る、梨沙の鼻先に手を近づけてみた。

呼吸はある。

希望で視界が開けた気がした。

「警察……いや、救急車」

スマートフォンを取り出したまではいいが、右手の人さし指が動き出さない。緊急の電話番号を思い出せないほど動転している。

「救急車はいい」

寺本は硬直した。

いまの声は、どこから聞こえた？

梨沙の声のようだったが。

スマートフォン越しに見ると、梨沙のまぶたが開いた。同時に血まみれの手でスマートフォンをつかまれ、悲鳴を上げそうになる。

「救急車はいい。警察を呼んで」

彼女の表情も声も、いっさい苦痛を感じさせないものだった。痛みを堪えているわけでも、ましてやいったん死んだのが生き返ったわけでもなさそうだ。

「こら、コロン。これは舐めちゃダメ」

コロンが梨沙の腹のあたりを舐めようとして、彼女に叱られている。コロンの尻尾はぶらぶらと左右に揺れており、先ほどまでの切迫感はない。安心しきった様子だ。

「え……なに？」

なにがどうなっているのか。

梨沙が無事だということだけは、理解できるが。

8

梨沙が上体を起こすと、寺本は座ったままバタバタと後ずさった。幽霊でも見たような顔をしている。

梨沙は自分の腹のあたりに付着した液体を、指ですくってみせた。

「これは血糊。本物の血じゃない」

「へ？」

寺本が間の抜けた声を出す。

野田が催涙スプレーの薬剤の付着した目もとを流しで洗っている間、梨沙はどうするべきか考えた。

野田の持ってきた凶器は、梨沙の手の中にある。これを使って対抗してもいいが、老人とはいえ、相手は腕力に勝る男だ。凶器を奪い返され、返り討ちに遭う可能性も高い。かといって背後をすり抜けて逃げるというのも、現実的ではない。野田は目もとを洗いながらこちらにも注意を向けているから、梨沙が逃げようとすれば気づくだろう。

そんなとき目についたのが、部屋の奥にあった血糊のボトルだった。血糊を塗った上に包帯を巻き、怪我をしているように装うことで、周囲の注目を集められる。梨沙にとってお守りであり、おまじないだったが、徳永から怪我の偽装を看破されて以来、キャップを開けることはなかった。

同時に、中岡の話を思い出した。

——わかってるんだけど、先回りして小言言われると気持ちが削がれるみたいなこと、あるじゃないか。親から宿題やりなさいって言われたら、逆にやりたくなくなるみたいな。いまやろうと思ってたのにってこと、あるだろう?

学校の宿題とは次元が違う。それでも野田の気勢をそげるのは間違いない。

野田はこちらに注意を払っているだろうが、視線を向けてはいない。梨沙の気配だけを感じている状況だ。やってみる価値はある。

まずはボトルから自分の腹の部分に血糊を絞り出し、手で広げる。さらに刃物の刃の部分にも、血糊を手で擦り付けた。

そしてボトルをマットレスの掛け布団の中に隠し、「うっ」と声を出して仰向けになり、バタバタと足を動かして物音を立てた。

流しから顔を上げた野田が、こちらを見て目を細め、血相を変えた。

「刺さっちゃっ……」

助けてと目で訴えながら、腹から刃を抜いたように刃物を動かし、床に落とした。

「なにやってんだ！」

野田が歩み寄ってくる。

「たすけ……て……」

ここぞとばかりに刃物を拾って追撃されたら一巻の終わりだ。だがおそらく、そうはならない。

野田は狼狽(うろた)えているし、怯えている。狙い通り、先ほどまでの殺気が消え失(う)せていた。

「お願い……」

しゃがみ込んできた野田にすがりつこうとすると、立ち上がって避けられた。

それでも手をのばし、懸命に救いを求める。

——という迫真の演技をする。

「きゅ、救急車……」

「おれのせいじゃない。おまえが勝手に転んだんだ」

野田の気配が遠ざかっていく。

ばたり、と事切れた演技で目を閉じながら、梨沙は玄関の扉が開く音を聞いた。

そして入れ替わりに部屋に飛び込んできたのが、コロンと寺本だった。

話を聞き終えると、寺本は疲労しきったかのような力ない笑みを浮かべた。

「そういうことか。嘘かよ」

「また嘘ついちゃった」

「でも……今回はしょうがない」

「だね」

近づいてきたコロンが、梨沙の口もとをペロリと舐める。

「ありがとう、コロン」

私を助けようとしてくれて。

コロンの頭をわしゃわしゃと撫でる。コロンはもっと撫でてくれという感じで、両耳を外側に倒した。梨沙の手についていた血糊のせいで物騒な見た目になっているが、尻尾は千切れんばかりに揺れている。

「おれには?」と、寺本が自分を指さした。

「は?」

首をかしげる梨沙に、彼は言った。

「コロンに礼を言うなら、おれにもだろ。おれだって、あんたを助けようと戻ったんだけど」

「あなたは許してあげる」

「許す?」

寺本は納得いかないようだ。

「私を見捨てて逃げだそうとした」

「逃げだそうとしたわけじゃ……」

途中で弁解を諦めたようだ。寺本が肩を落とす。「ごめん」

「いいよ。あなたの立場なら、私も同じことをした」

コロンがほかの部分も撫でてくれという感じで、ぐるりと回転する。

「でも戻ってきてくれた。だから許す」

「ありがとう」

「警察に電話するんじゃなかったの」

「そうだった」

左手に握ったスマートフォンの存在を、ようやく思い出したようだ。

「救急車じゃなくて警察ね。警察は一一〇番」

「それぐらいわかってる」

「どうだか。目なんか泳ぎまくって、とても冷静には見えなかったけど」

ね、とコロンに問いかける。コロンは嬉しそうに口を半開きにして、ハッハッと短い息を継いでいた。

「もしもし、警察ですか。そうです、事件です。友人の家に刃物を持った男が侵入して――」

電話がつながったようだ。寺本が状況を説明し始める。

友人――いま寺本は、たしかにそう言った。便宜上の表現でも嬉しい。もしかしたら今度こそ、人生で初めて、本当の友人を作れるのだろうか。嘘をつかずに、自分を大きく見せようとせずに、素直に向き合っていけるだろうか。

コロンが近づいてきて、梨沙の手をペロペロと舐める。

大丈夫だよ、と励ましてくれているのかな。いや、いまはただ、甘い血糊の匂いに誘われているだけか。

そんなことを考えていると、感傷がこみ上げてきた。

「ありがとう、コロン」

助けようとしてくれて。

これまで私と過ごしてくれて。

この世に生まれてきてくれて。

コロンを両手で抱きしめた。たぶんもう今後、何度も味わうことのできないぬくもりを、しっかり肉体に記憶させておこうと思った。

9

扉を開けた瞬間、真鍋の表情が曇った。

夫婦と一戸建てで暮らしているはずのコロンが、単身者向けのマンションにいるのだ。話が違うにもほどがある。本来ならば即座にトライアルを終了し、問答無用でコロンを連れ帰ってもおかしくない。

野田との対決から五日が過ぎた。

梨沙のマンションへの不法侵入、傷害、脅迫などの容疑で逮捕された野田は、飯田英子殺害についても認めたようだ。動機は梨沙に話した通りで、ほぼ全財産を奪われていた事実を妻の死後に気づき、返還を要求したものの応じてもらえなかったためらしい。犯行は衝動的なものだった。野田の家には飯田英子殺害翌日に息子一家が泊まりに来ることになっており、死体の処分に困った野田は、隣人の中岡の家を一時保管場所として利用することを思いついた。中岡とは日ごろから親しくしており、入院のためしばらく留守にすることも知っていた。息子一家は一泊するだけなので、ひと晩中岡宅に死体を保管し、それからどう処分するかを決めようと考えたようだ。庭いじりが趣味だった野田は、ブルーシートで包んだ死体を運搬用の一輪車で中岡宅に運び込み、息子一家を自宅に迎えた。中岡宅を訪問する人間はいるわけもなく、死体が見つかることもないはずだった。

ところが、中岡宅からコロンを連れた真鍋が出てきたのを二階から目撃した。ひっつめ髪に眼鏡をかけ、犬を連れたその女の素性をたしかめたかったが、そのときは息子一家が一緒だったため身動きが取れなかった。当然、彼女は死体を目にしたはずなので、大きな騒動になるのを覚悟したが、なぜかそうならなかった。後で確認してみると、居間に保管していたはずの死体が浴室に移動されていた。野田はその事実を、犬を連れた謎の女からの脅迫と解釈した。おまえのやったことを知っているぞというメッセージだ。そのうち口止め料を要求されるだろうが、そんな金はない。悠々自適の老後を送っているように見えても、自宅は抵当に入れられており、印象ほど豊かではないのだ。せめて女と交渉できないだろうか。

そんなとき、退院した中岡から梨沙の話を聞かされ、謎の女の正体は梨沙ではないかと考えた。野田は梨沙に接触すべく、『もしもしショップ川越店』の前で張り込んだ。最初は自転車で立ち漕ぎしながら猛然と走り去る梨沙を見失ったものの、二度目はタクシーを活用して自宅を突き止めることができた。しかし不思議なことに、梨沙は犬を飼っていない様子だった。死体を移動させた謎の女は、本当に彼女なのか。確信を持てぬまま行動を監視していると、ある日、梨沙のアパート前に引っ越し業者のトラックが止まっており、業者が梨沙の部屋から荷物を運び出していた。翌日、前のアパートの大家を装って引っ越し業者に電話をかけた。郵便物を転送したいので梨沙の引っ越し先を教えてほしいと願い出ると、あっさり引っ越し先の住所が判明した。そして川口市の梨沙の新居に向かうと、彼女は犬を散歩させていた。全体が白く、左耳だけが茶色いその犬を見た瞬間、謎の女は梨沙だという確信に至ったのだった。

バラバラにされた飯田英子の死体は、いくつかに分けて可燃ゴミに出されていた。いまだ死体は発見されていないが、自宅から飯田英子の血痕が発見されたため、警察は殺人容疑で野田を再逮捕した。

当然ながら、梨沙も警察の事情聴取を受けることになった。

中岡は梨沙に、留守中の自宅を預かってくれるよう頼んだから不法侵入ではないと話してくれたらしい。そのため中岡宅への不法侵入については不問に付されたが、どういうわけか事件が大きく報じられる過程で、死体を発見したのは自称インフルエンサーで、保護犬を迎えるために中岡宅を自宅に偽装したという情報が、ネットに拡散されてしまった。

おかげで梨沙のミースタアカウントがふたたび炎上する事態になった。それも前回の小火騒ぎとは比べものにならない、大炎上だ。これまでとは比較にならない人数の目に触れたことで、もともと杜撰だったメッキは簡単に剝がされ、梨沙の多くの投稿が他人からの写真やエピソードの盗用で成り立っていることまでが暴き出された。不正な手段で審査をかいくぐった人間がいるので譲渡を取り消すべきだと、ラブワンコジャパンに連絡した者も少なくなかったようだ。真鍋から慌てた様子で電話がかかってきて、梨沙は包み隠さずに真相を打ち明けた。

そしていまに至っている。

コロンの現在の飼育環境を、あらためて確認させて欲しいと要求されたのだった。

真鍋は梨沙の部屋をぐるりと見回し、「少し、お話ししても？」と神妙な面持ちになった。

「もちろんです。おかけになってください」

梨沙が座布団を差し出すと、真鍋は膝を揃えて座った。コロンが歩み寄り、顔を近づける。その頭を撫でながら、真鍋は訊いた。

「コロンちゃんとの暮らしは、いかがですか」

「犬を飼った経験がなかったのですごく不安でしたけど、本当に賢い子で、私のほうがいろいろ学ばせてもらっているし、救われています」

梨沙は座布団に正座していた。どんな非難も甘んじて受けなければいけないし、罵倒されたところで文句は言えない。

しかし、真鍋の眼から怒りの色は感じられない。そこが余計に不気味だった。

「それはよかったです」

「あの……本当に、すみませんでした」

梨沙は頭を下げた。「コロンを手に入れるために嘘をついて、真鍋さんを騙してしまって」

「最低な人だと思いました」真鍋の声がにわかに尖る。

「ただ嘘をついただけなら、それだけ犬をお迎えしたかったのだと好意的な解釈もできますが、SNSでついた嘘を本当にしたいがためだなんて、完全に私欲です。犬の幸せのことなんか、これっぽっちも考えていない」

梨沙は目を伏せ、真鍋の言葉を受け止めた。

反論の余地はない。真鍋の言う通り、最初はコロンを自己実現と、金を得るための道具としか考えていなかった。

だがいまは——などと、都合の良い言葉を吐く資格すらない。

「もちろん、私たちにも非はあります。本当にこの人はワンちゃんを幸せにしてくれるのか、それが可能な環境を持っているのかを見極めるため、家庭訪問や面談を行っているのですから。小筆さんの本当の目的を見抜けなかったのは、私の責任です。これが虐待目的での譲受希望だったらと考えると、ぞっとします。不幸中の幸いは、その一点です。少なくともあなたに、コロンちゃんを虐待しようという意図はなかった」

返す言葉もなく、梨沙はただうなだれる。

「ここに来るまで、私はすごく怒っていました。保護団体の人間を騙して犬を手に入れようとしたあなたにたいして、そしてそれ以上に、あなたの本性を見抜けなかった自分にたいしてです。トライアルを中止してコロンを連れて帰れるよう、ペットキャリーも車に用意しています。トライアルの際の申込書の注意書きにもあったと思いますが、申告した事実に虚偽が発覚した場合、トライアルは即刻中止になります。トライアルはワンちゃんをお迎えする飼い主さんにとってのおためしであると同時に、私たち保護団体やワンちゃんにとっても、ちゃんとした飼い主さんなのかを見極めるためのおためしの機会です。あなたは、コロンちゃんを幸せにできる飼い主さんにはなれないと思っていました」

　梨沙はぎゅっと目を瞑る。コロンを奪われてしまう。だが真鍋の言う通りだし、すべては自業自得だし、結果も覚悟の上だった。

「だけど、コロンちゃんはあなたのことを信頼しているみたい」

　ふいに真鍋の語調が和らぎ、梨沙ははっと顔を上げた。

「きっかけはどうあれ、いまでは小筆さん自身も、コロンちゃんを幸せにしてあげようと頑張っているように見えます。どうですか」

「それはもう……」

　こくりこくりと頷いた。

「この部屋に犯人が乗り込んできたときの話、ネットのニュースで読みました。小筆さん、コロンちゃんを部屋の外に逃がしてくれたんですね」

「ああ」なぜあんなことをしたのか、自分でもわからない。必死だった。自分のせいでこの子まで不幸にするわけにはいかないと、とっさに身体が動いた。

「正直、自分でもよくわからないんです。どうしてあんなことをしたのか」

これまで打算で生きてきたし、他人も打算でしか動かないものだと決めつけていた。やさしさの裏にある打算を、つねに見抜こうとしてきた。

「わからないけど、助けたかった。それでいいと思います。本能的な行動だったということですから」

「本能……」

「本能です。本能的な行動は、信用できます」

真鍋が力強く頷く。

「ですから新たなトライアル開始という解釈で、いかがでしょうか」

「新たなトライアル、ですか」

「ええ。前回の譲受申し込みは破談ということにして、いまの小筆さんの、本当の環境を申告していただき、それに基づいて新たに譲受申し込みをしていただこうかと」

「でも私、独身だし」

「わかっています。けれど独身者お断りというのは、安易な譲受申し込みを防ぐために設けた条件です。独身の方には、ワンちゃんを幸せにすることなんてぜったいにできないと考えているわけでもありません。少なくともいまの小筆さんからは、コロンちゃんを幸せにしよう、守っていこうという意思を感じました。ですから、これまでのトライアルはこちらからお断りすることにして、新たに譲受申し込みをいただき、トライアルしていただくかたちでいかがでしょう」

魅力的な提案だった。

なに一つ自分を偽ることなく、ありのままの条件でトライアルさせてくれる。真鍋の申し出を受け入れれば、このままコロンと一緒に暮らしていける。

しかし、梨沙はかぶりを振った。

「大変ありがたい提案ですが、お断りさせていただきます」

梨沙の反応が意外だったらしく、真鍋が大きく目を見開く。

「差し支えなければ、理由をうかがっても？」

「実際にコロンと住み始めてみるまで、私にとって犬はアクセサリーとかぬいぐるみのような存在でした。ミースタで愛犬家を演じながら、犬を家族だとか、子どもだとか言う人たちをバカにしていました。なにが家族だ。しょせん動物じゃないか……って。でも実際に暮らしてみて、考えが変わりました。犬は犬なりにいろんなことを考えているし、本当に感情が豊かです。だから迎え入れる以上は、家族になってあげないといけないんです。飼い主のことをパパとかママとか呼ぶ風潮をバカにする人もいるし、私自身、バカにしていたけど、でも、お迎えした犬は本当のお母さんから引き離されているわけで、だからパパやママになってあげるぐらいの覚悟がないといけないんです。じゃないと、お迎えした犬には家族がいないことになるんですから」

ときおり声を不自然に波打たせながらの話を、真鍋は頷きながら聞いていた。

「小筆さんのおっしゃる通りです。ワンちゃんは家族と引き離されてやってくるのだから、自分たちが新しい家族になろうという気持ちが必要です」

「そんなこともわかっていなくて、犬なんてたかがペットだと高を括っていました。すごく短い時間だけど、私はコロンからいろんなことを教わった気がします」

「だったら——」

真鍋に手の平を向け、梨沙は続けた。

「私はコロンと離れたくないし、一緒に暮らしていけるものならそうしたい。コロンのことが大好きになりました。だけど、コロンのことを好きになればなるほど、この子にとって本当の幸せってなんだろうって、そんなことを考えるようにもなりました。この子にもお母さんがいて、きょうだいがいて、たぶん、かわいがってくれた最初の飼い主もいた。コロンはもともと人に飼われていたんじゃないかって、真鍋さん、おっしゃいましたよね」

「ええ。保健所からの引き出しなのに、すごく人慣れしていました。トイレのしつけやお散歩も最初からできたので、人に飼われていたのは間違いないと思います」

「私、思うんです。コロンは捨てられたわけじゃない。前の飼い主さんにすごく愛情を持って育てられていたに違いないって」

コロンが梨沙の隣で丸くなる。まだ話は終わらないの？　という感じでちらりと上目遣いをしてから、目を閉じた。

「私も同感です。生来の気質のおだやかさや賢さはあるけど、それだけじゃない。コロンは人間を信じている。信じているからこそ、人間の言うことを聞くんです。本来の飼い主さんは、きっと愛情を持ってコロンに接していた。きちんとコロンの家族になっていた。そんな人が、身勝手にコロンを捨てるような真似はしないと思います。コロンが野良犬になったのには、きっとなにか、やむをえない事情があったに違いありません」

「だったら、本来の飼い主のところに帰してあげるのが、コロンにとっていちばんの幸せだと思いませんか。本も出せなかったし、一億円も手に入らなかったけど、コロンはそれ以上に価値のある体験を、私にくれました。コロンと過ごした時間は、一生忘れない宝物になりました。だから私も、ささやかながらコロンに恩返ししたいんです」

ずっと考えていたことだった。梨沙にとってはコロンがいちばんでも、コロンにとっては違うかもしれない。やさしく賢い子なので梨沙に反発することはなくても、ふとした瞬間に、本来の飼い主を思い出したりするのではないか。

会わせてあげたい。

たとえ自分が孤独になるとしても――。

梨沙にとって、初めて自分の中に芽生えた利他の感情だった。

「気持ちはわかりますし、私もそれがいちばんだと思いますが、これまで元の飼い主さんは名乗り出ていません」

真鍋は困惑した様子だ。

「保護団体の発信が目にとまっていない可能性もありますよね」

「それは、まあ……」

ラブワンコジャパンでもホームページやSNSアカウントから保護犬の情報を発信しているようだが、いかんせん影響力がない。コロンの元の飼い主が必死に探そうとしたところで、保護団体の数自体も多く、愛犬を見つけ出すのは至難の業だ。

「私がミースタをやってることは、この前の電話でもお話しした通りです」

「ええ」

「すべての情報が他人から写真を盗用したり、エピソードを拝借したりした嘘まみれのものだったということで炎上していて、いまは通知すら切っています」

真鍋が哀れむような、あきれるような目つきになる。

「悪意を向けられるって、本当につらいんです。顔も名前も知らない誰かが、この国のどこかで私のことを嫌っている。そう考えるだけで、とても暗い気持ちになります。なにか発信するたびにどうせ嘘だろって疑われて、特定班と呼ばれる人たちが私の発信の盗用元を探そうと躍起になる。誹謗中傷(ひぼうちゅうしょう)のコメントやDMがたくさん届いて、こんなはずじゃなかったのにって、悲しい気持ちになります。ネット上でなりたい自分を演じていただけなのに、どうしてこんなに嫌われるんだろう……って」

「大変ですね」

「ええ。すごく傷つきました。でも、おかげでフォロワーの数だけは以前の十倍以上になりました。ほとんどが私のことを嫌いかもしれないけど、それでもたくさんの人が、私の発信を見てくれるんです。悪名は無名に勝る……という言葉がありますけど、いまの私には、発信力だけはあるんです。保護団体が運用しているＳＮＳアカウントなんかより、よほど」

なにを言わんとしているのかが伝わったらしく、真鍋は大きく目を見開いた。

マウントを取るのもほどほどにしないといけないなと、梨沙は思った。

エピローグ

車のエンジン音に反応して、コロンの耳がぴくりと動く。

「来たみたいだな」

寺本が言い、梨沙はコロンの頭をひと撫でしてから立ち上がった。つられたようにコロンも腰を浮かせ、尻尾を揺らし始める。

梨沙のマンションの前には、梨沙と寺本、コロン、それに真鍋が立っていた。寒風が吹きすさぶ十二月の半ば。テレビの天気予報では、今朝の気温は氷点下だったらしい。

モコモコに着込んでいるのにその場で足踏みする三人と、裸なのに寒さなど感じさせずに凛と立つ一匹は、エンジン音のする方向を見つめている。

「誰が来たのか、わかったのかしら」

毛糸の手袋に包まれた手を口もとにあてて驚く真鍋を、寺本が笑った。

「まさか。いくら犬は耳が良いっていっても」

「いや。コロンはわかっていると思う」

口にしてから、そういえばコロンではないのだったと、梨沙は思い直した。

この子の本当の名前は、さくら――。

ミースタでこれまでの虚言を詫(わ)びた上で、本当の飼い主を探したいと記し、コロンの写真を投稿したところ、信じられないほどの反響があった。読むに堪えない誹謗中傷めいた内容の反応も少なくなかったが、悪名は無名に勝る、だ。テレビのニュース番組からも投稿を紹介したいという依頼があって、快諾した。

そしてコロンの本来の飼い主を探し求める投稿は、ラブワンコジャパンが懸命に広報したところで及ばない範囲にまで拡散されることとなった。

その結果、本来の飼い主が名乗りを上げた。コロンは、栃木県の清水泰隆(しみずやすたか)という男性が飼っていた、さくらという犬だった。二年前、愛犬をトリミングサロンに預けていたところ、近所で落雷があり、たまたま開いていた出入り口から飛び出して、行方がわからなくなったという。清水は近隣の保健所や保護施設の収容情報をチェックしたり、ペット探し専門の探偵に依頼したりと手を尽くしたが、消えた愛犬を見つけることはできなかった。保健所から引き出され、コロンと名付けられてラブワンコジャパンのホームページに写真が掲載されるころには、清水はなかば捜索を諦めてしまっていた。しかしさくらは野良犬として懸命に生き抜いていた。

ほかにもコロンの飼い主だと名乗り出る者は何人かいたが、愛犬を撮影したたくさんの写真を送ってきたのは、清水だけだった。コロンがさくらであるのは間違いない。

まさか自分の作り出した架空の犬の名前と、コロンの本名が一致するとは。

でも私にとって、この子はやっぱりコロンだ。

視線を落とす。遠くから近づく気配に耳を澄ませるコロンの尻尾の揺れが、次第に大きくなっていた。もう梨沙のことなど気にかけていないようで、寂しくなる。

それでも、喜んであげなくては。生まれたころから一緒に過ごしてきた本当の『家族』との、二年ぶりの再会だ。清水はさくらの母犬も飼っており、自宅にはきょうだい犬もいるのだという。これ以上ない、幸福な環境に帰してあげられる。

角を曲がって現れたのは、ランドクルーザーだった。ハンドルを握る精悍な印象の男性が、清水泰隆だろう。助手席から身を乗り出すようにこちらを見ている小学校低学年ぐらいの少女は、彼の娘だろうか。

ランドクルーザーが目の前に停止するころには、コロンの尻尾の勢いは千切れんばかりになっていた。早く走り出したいという感じで、そわそわと足踏みしている。

コロンがこれほど喜びを表に出すところを初めて見た。この子は間違いなく、『家族』を覚えている。

助手席から降りてきた少女が、両手を広げて駆け寄ってきた。

「さくら！」

もはや抑えが効かなくなった様子で、コロンが地面を蹴る。

梨沙はリードを離して自由にさせてやると、コロンは猛然とダッシュし、少女に身体をぶつけた。少女も嬉しそうにコロンを抱きしめている。互いの喜びをぶつけ合うような、激しい感情表現。少女の腕の中で右に左に身体をよじったり、少女の顔を舐め回したりするコロンからは、遠慮や警戒がまったく感じられない。安心しきって身を委ねている。梨沙には見せたことのない一面だった。間違いない。疑いようもない『家族』。

ついに、お別れか。

実感がこみ上げてきて、喉の奥に力をこめた。

少しだけ、人違いならぬ犬違いという結果を期待してもいた。本当の『家族』かと思ったけど、違った。やっぱり私と一緒に暮らすしかないね。いつか本当の『家族』が見つかるまで、私が一緒にいてあげるね。

そうはならなかった。

「コロンちゃん……」

真鍋が堪えきれなくなったらしく、両手で顔を覆う。

「よかったなあ。本当によかった」

寺本は親指で目の端を拭った。

「なに泣いてるの。あなたの犬じゃないでしょう」

梨沙は意地悪そうな横目を向ける。

「おれの犬じゃないけど、あんなに喜んでるところ見せられたら、ぐっときちゃうじゃないか。大福ぅ……」

寺本の涙には、別の理由もありそうだ。

運転席から降りてきた清水泰隆は、梨沙たちに菓子折を持参していた。しかも一人につき一つずつ。紙袋には百貨店に入っているような高級和菓子店の店名があった。梨沙には手が届かない価格帯の店だ。

地元の栃木県で医院を複数経営しているらしく、コロンのきょうだいと言って見せてくれた写真の背景は、どこかのドッグランかと思いきや、自宅の庭だという。文句の付けようがない飼育環境。

しかも飼い主は腰が低く、人当たりも良い。「二度と会えないかと思っていました。本当にありがとうございました。近くまでいらしたらぜひ会いに来てやってください」と何度も頭を下げた。

「本当のセレブは、あんたじゃなくてコロンだったんだな。保護犬さくら、港区女子ならぬ、生まれついてのセレブに戻る……だ」

リードを引かれてランドクルーザーに向かうコロンの後ろ姿を見送りながら、寺本が鼻の下を人さし指で擦る。

「さくらちゃん、元気でね」

真鍋は泣きながら手を振っていた。

梨沙はこぼれそうな涙を、ぐっと堪える。コロンは賢く、やさしい子だ。ここで梨沙が泣いたら、この場を立ち去るのを躊躇してしまうかもしれない。

——なんてことだ。たかが動物だと思っていたのに、いまやすっかりただの親バカならぬ、犬バカだ。

でもこんな自分を、悪くないと思う。

これからの人生に、コロンはいない。けれどコロンに恥ずかしくない自分になれるよう、コロンのように嘘偽りのない、ありのままの自分でいられるよう頑張ってみよう。

清水泰隆がランドクルーザーの後部座席を開き、コロンを招き入れようとする。

「コロン！」

思わず叫んでいた。

コロンがこちらを振り返る。

「幸せにね！」

手を振ると、コロンが口を半開きにして舌を出した、笑顔に見える表情で「あなたもね」と応えたような気がした。

本作品は書き下ろしです。

本作品はフィクションです。実在の組織、団体、個人とは一切関係ありません。
（編集部）

［著者略歴］
佐藤青南（さとう・せいなん）
1975年長崎生まれ。「ある少女にまつわる殺人の告白」で第9回『このミステリーがすごい！』大賞優秀賞を受賞し、2011年同作でデビュー。2016年『白バイガール』で第2回神奈川本大賞を受賞。ドラマ化された〈行動心理捜査官・楯岡絵麻〉シリーズのほか〈ストラングラー〉シリーズ、〈お電話かわりました名探偵です〉シリーズ、『犬を盗む』『残奏』など著書多数。

一億円の犬

2023年11月15日　初版第1刷発行

著　者／佐藤青南
発行者／岩野裕一
発行所／株式会社実業之日本社
〒107-0062
東京都港区南青山6-6-22　emergence 2
電話（編集）03-6809-0473　（販売）03-6809-0495
https://www.j-n.co.jp/
小社のプライバシー・ポリシーは上記ホームページをご覧ください。

ＤＴＰ／ラッシュ
印刷所／大日本印刷株式会社
製本所／大日本印刷株式会社

ISBN978-4-408-53846-4（第二文芸）